Parlez-leur *d'amour* et de sexualité

Couverture: Tableau de Nicole Tremblay, *Portrait de famille*, 20 x 28 po,
acrylique, sable et feuille d'or
Illustrations: Tibo

Données de catalogage avant publication (Canada)
Robert, Jocelyne
Parlez-leur d'amour et de sexualité

1. Éducation sexuelle des adolescents. 2. Éducation sexuelle des enfants.
I. Titre.

HQ57.R62 1999 649'.65 C99-941329-5

DISTRIBUTEURS EXCLUSIFS:

• Pour le Canada
et les États-Unis:
MESSAGERIES ADP*
955, rue Amherst,
Montréal, Québec
H2L 3K4
Tél.: (514) 523-1182
Télécopieur: (514) 939-0406
* Filiale de Sogides ltée

• Pour la France et les autres pays:
INTER FORUM
Immeuble Paryseine, 3, Allée de la Seine
94854 Ivry Cedex
Tél.: 01 49 59 11 89/91
Télécopieur: 01 49 59 11 96
Commandes: Tél.: 02 38 32 71 00
Télécopieur: 02 38 32 71 28

• Pour la Suisse:
DIFFUSION: HAVAS SERVICES SUISSE
Case postale 69 - 1701 Fribourg - Suisse
Tél.: (41-26) 460-80-60
Télécopieur: (41-26) 460-80-68
Internet: www.havas.ch
Email: office@havas.ch
DISTRIBUTION: OLF SA
Z.I. 3, Corminbœuf
Case postale 1061
CH-1701 FRIBOURG
Commandes: Tél.: (41-26) 467-53-33
Télécopieur: (41-26) 467-54-66

• Pour la Belgique et
le Luxembourg:
PRESSES DE BELGIQUE S.A.
Boulevard de l'Europe 117
B-1301 Wavre
Tél.: (010) 42-03-20
Télécopieur: (010) 41-20-24

Pour en savoir davantage sur nos publications,
visitez notre site: **www.edhomme.com**
Autres sites à visiter: www.edhommejour • www.edtypo.com
• www.edvlb.com • www.edhexagone.com • www.edutilis.com

L'Éditeur bénéficie du soutien de la Société de développement des entreprises culturelles du Québec pour son programme d'édition.

Nous reconnaissons l'aide financière du gouvernement du Canada par l'entremise du Programme d'aide au développement de l'industrie de l'édition (PADIÉ) pour nos activités d'édition.

Dépôt légal: 4e trimestre 1999
Bibliothèque nationale du Québec

ISBN 2-7619-1526-7

Jocelyne Robert
PRÉFACE DE FRANCINE DUQUET

Parlez-leur *d'amour* et de sexualité

Nouvelle édition revue et augmentée

Les livres ne sont que des médiateurs ; aucun n'est assez bon pour être unique.

FRANÇOISE DOLTO

Remerciements

À Véronique qui m'a permis d'être une mère imparfaite.

À Paul-André et à Catherine qui m'ont dispensée d'être une « belle-mère » parfaite.

Ce sont les enfants de ma vie. C'est à travers eux que j'ai appris et compris un peu le rôle troublant de parent. Ils ont été les muses des livres que j'ai écrits pour les enfants et les adolescents. Ils m'ont insufflé la compréhension affective de la croissance sexuelle que nulle connaissance scientifique ne peut transmettre.

À Claude, pour tout.

À Alice, ma gourou de cinq ans, mon amie, ma petite-fille
que j'aime à la folie.
À Marie-Agnès et à Norbert, mes parents,
qui vivent en moi.
Leur confiance m'a permis
d'être une enfant changeante
et une adolescente indomptable.
Ils m'ont légué un fier et unique héritage:
ma quête de respect et de dignité.

Préface

Jocelyne Robert est une femme d'une grande sensibilité, à l'esprit vif et critique, lucide et d'un humour réjouissant. En vous la décrivant ainsi, j'annonce déjà les grandes qualités de ce livre.

Bien que l'on s'entende pour dire que l'éducation sexuelle des enfants et des adolescents est importante, tous et toutes, à un moment ou à un autre, avons espéré la faire avec la délicatesse et l'honnêteté qui s'imposent et avons cherché des ouvrages qui sortaient de la pure description biologique ou technique. Dieu merci, *Parlez-leur d'amour... et de sexualité* n'est pas un livre de recettes sur l'éducation sexuelle des enfants et des adolescents. Vous y trouverez des repères utiles pour vous et votre enfant, des repères qui tiennent compte de votre situation de parent ou d'intervenant et de vos sensibilités respectives. L'éducation à la sexualité ne doit pas être une corvée à laquelle vous vous astreignez, mais plutôt une belle occasion d'échanger sur les aspects affectifs et relationnels de la vie sexuelle. Les enfants auront ainsi la chance, grâce à votre façon toute personnelle de leur en parler, de démystifier la sexualité et de ne pas être déroutés par une réalité sexuelle qui est, à plusieurs égards, de plus en plus surexposée.

En effet, s'il fut un temps où l'on ne parlait pas de « ces choses-là », il n'y a pas une journée aujourd'hui où les jeunes ne sont pas sollicités par des images concernant la sexualité. La télévision, le cinéma, le réseau Internet et les journaux nous bombardent d'informations à caractère sexuel sans pour autant traiter différemment ce qui est accessible ou non à un jeune public. Le « sexe » ne se limite pas à de la consommation spectaculaire ou même à une simple question sanitaire (l'utilisation du condom). Les émotions et les sentiments (amour, plaisir, joie, peur, pudeur, fébrilité, etc.) sont parfois trop vite évacués dans cette surenchère « sexuelle ». *Parlez-leur d'amour... et de sexualité* a l'avantage de présenter une vision globale de la sexualité humaine et de donner des pistes de réflexion pour une éducation sexuelle explicite et positive.

Ce livre vous aidera à aborder l'éducation sexuelle avec confiance. Il est vrai que la candeur des enfants et l'arrogance des adolescents peuvent nous apparaître à l'occasion comme des obstacles pour parler ouvertement de sexualité. Il ne s'agit pas ici de s'empêtrer dans un discours moralisateur, pas plus qu'il ne s'agit de paraître *relax* et *cool* à tout prix. Les cartes de l'authenticité et de la simplicité seront vos alliées.

En somme, tel ce très beau proverbe chinois qui dit « Donne deux choses à tes enfants : des racines et des ailes », ce livre a le grand mérite d'apporter des éléments de connaissance essentiels, sans toutefois éliminer toute la poésie rattachée à l'amour et à la sexualité. Bonne lecture à tous et à toutes.

FRANCINE DUQUET
Professeur au département de sexologie
Université du Québec à Montréal

Note au lecteur

Ce livre comporte de nombreuses voies d'accès. Vous pouvez, selon votre fantaisie, y entrer par la fin, par le milieu et même par le commencement.

Les cas relatés, les anecdotes et les extraits de lettres sont authentiques. Seuls les noms ainsi que certains détails ont été changés par souci de discrétion.

Tout au long du texte, les caractéristiques énoncées en fonction de l'âge de l'enfant correspondent à des généralités et ne doivent jamais être considérées comme des absolus.

Peut-être vous demandez-vous pourquoi il est tant question d'amour, d'affection, de sentiments et d'émotions dans un livre sur l'éducation sexuelle des enfants ? Pour plusieurs raisons, que voici.

- Parce que j'aborde le développement sexuel de l'enfant principalement sous l'angle de ses implications affectives et que l'amour est « une disposition favorable » de l'affectivité.
- Parce que l'amour renvoie à l'affection, à l'attachement, à l'inclination, à la tendresse, au plaisir et à la passion qui sont autant de sentiments et d'émotions liés à l'expression sexuelle, et que l'expression sexuelle traduit à son tour une quête d'affection, de reconnaissance de soi, d'amour…
- Parce que les domaines de la sexualité et de l'affectivité sont presque indissociables et pourtant différents. Et qu'il importe de parler de l'une et de l'autre afin d'amener le jeune à distinguer ses besoins personnels véritables.
- Parce que, malgré une expérimentation sexuelle souvent précoce et diversifiée, les jeunes de cette fin de siècle placent le sentiment amoureux comme valeur première dans leur quête de partenaires intimes.
- Parce qu'en parlant d'amour et de sexualité, on clarifie chacune de ces notions et que l'on peut ainsi éviter des désillusions :

l'ardeur érotique ne garantit pas l'amour, l'amour n'est pas le gage de la satisfaction érotique.

- Parce qu'il me paraît souhaitable de parler d'amour de manière réaliste, sans verser dans le romantisme larmoyant, et de parler de sexualité de façon objective sans la cantonner à de la « plomberie ».
- Parce qu'il est urgent de montrer et de rappeler à nos jeunes que la sexualité peut aussi témoigner de l'amour, du partage et de l'affection, afin d'amortir les graves répercussions des agressions, des misères, des maladies et des abus sexuels largement étalés autour d'eux.
- Enfin, parce que de toute façon l'amour est toujours là, présent et à peine dissimulé derrière mes propos, même quand le mot n'y est pas. Amour multiple, humain, sans grand A et incertain...

Je n'ai qu'une certitude : toute demande ou attente sexuelle est, d'une certaine façon, une demande d'amour.

Confidences de l'auteur

Ma vie est une ribambelle de faits cocasses, de détails loufoques et de hasards étonnants. À commencer par ma naissance…

Je suis le fruit tardif d'une corbeille de sept enfants ; une demi-génération me sépare du frère auquel j'ai volé le titre de benjamin. Ma mère est devenue enceinte de moi à 40 ans, en période stérile de son cycle et… malgré le condom, m'a-t-elle raconté. Quand on me demande ce qui m'a amenée à la sexologie, je réponds que rien n'a pu m'y déterminer autant que ma naissance impromptue.

Je n'ai pas été désirée. Qu'importe ? puisque j'ai été aimée.

Rien n'est jamais parfait. N'est-ce pas son savoir-aimer qui a autorisé ma mère, lorsque je lui posais des questions, à me raconter, sans cachotteries et sans bavures, l'histoire de ma naissance ? Aujourd'hui, j'adore épiloguer sur le désir et sur l'amour, nuancer les sentiments, les émotions, les engagements ; j'ai le sentiment que j'aurai, jusqu'à cent ans, le goût d'être désirée et désirable. Allez donc savoir pourquoi…

Si les années d'études, de travail et de réflexion en sexologie ont contribué à façonner chez moi une compréhension personnelle des « choses de la vie », je dois dire que c'est d'abord la transparence de mon milieu familial qui m'a permis de me saisir, de m'accepter, d'être bien dans ma peau de fille, avec mes forces et mes faiblesses. De là à écrire un livre pour les parents sur la sexualité et l'éducation sexuelle et affective de leur progéniture, il n'y avait qu'un pas que j'ai mis bien du temps à franchir. Peut-être avais-je besoin que les enfants de ma vie aient eux-mêmes fini de grandir (physiquement, cela va sans dire) ; peut-être avais-je besoin de prendre le temps de vivre à leurs côtés, de leur petite enfance jusqu'à leur âge adulte, avant de balbutier sur le sujet.

Vous aurez compris, au ton de ma dédicace, de mes remerciements et de ce préambule, que je m'adresse à vous en étant, tout d'une pièce, mère-parent-femme-éducatrice-sexologue.

Sans doute ai-je même lâché des morceaux de mon enfance et de mon adolescence dans les pages qui suivent. Vous aurez saisi aussi que je ne me perçois ni comme une technicienne ni comme une théoricienne de la sexualité. Celle-ci est trop intrinsèquement liée à l'intimité pour qu'on l'extraie de l'ensemble de la personne. Dans cette optique, je ne puis davantage séparer mon propos professionnel de mes convictions personnelles. Cette approche est-elle une force ou une faiblesse ? Probablement tantôt l'une, tantôt l'autre. J'ai renoncé à ce qu'il en soit autrement.

Ainsi donc, depuis de nombreuses années, l'intervention en éducation sexuelle auprès des enfants, des adolescents et de leurs parents a constitué l'essentiel de l'exercice de ma profession. Cet engagement m'a amenée à travailler auprès d'enseignants, d'intervenants-jeunesse et d'éducateurs, de professionnels de la santé et à rencontrer des milliers de parents, tant au Québec qu'à l'étranger. J'ai pu me rendre compte de la bonne volonté des parents à faire l'éducation sexuelle de leurs enfants ; de leurs difficultés, de leurs peurs aussi. Combien de fois m'a-t-on dit :

Je veux bien mais je n'y arrive pas...
Je ne trouve pas les mots.
Je me sens si mal à l'aise.
Il ne me parle pas de lui...
Elle ne veut rien savoir de moi, de ça...

À l'occasion d'une tribune téléphonique à la radio, une dame m'a apostrophée gentiment :

Ça paraît si facile quand c'est vous qui en parlez, si limpide... Moi, quand j'en parle, c'est aussi clair que de la vase. De toute façon, les enfants ont des livres faits pour eux, les adolescents ont des cours à l'école, on dirait qu'on n'a plus rien à voir là-dedans, nous, les parents.

Pour tout cela, parce que je crois aux parents comme premiers acteurs dans l'éducation sexuelle de leurs enfants, parce qu'ils demeurent les personnes les plus significatives auprès de leurs adolescents et parce que les réseaux scolaire, social et de la santé les ont négligés dans la prise en charge de cette responsabilité, j'ai eu envie d'écrire ce livre.

En sexualité, pas de recette, seulement des ingrédients. Le reste est affaire de créativité et d'humilité. Tout au plus partagerai-je avec vous des pistes susceptibles de vous épauler dans l'accompagnement de votre enfant. Des sentiers éprouvés puisque ce sont les enfants eux-mêmes qui m'y ont conduite. Les tout-petits m'ont dessiné des lettres; les enfants m'ont écrit; les adolescents se sont longuement laissé écouter. Et puis, pour tout dire, ils m'ont aussi beaucoup parlé de leurs parents. Je crois pouvoir livrer, sans les trahir, l'essentiel de leur message et de leurs attentes.

Ne vous étonnez pas si les questions relatives à l'anatomie et à la physiologie, la «plomberie», disent les ados, ne sont qu'effleurées. J'ai volontairement négligé ces aspects largement et convenablement traités ailleurs. Je vous invite plutôt à ajuster une autre lorgnette.

Que vit l'enfant de cinq ans en jouant au docteur, par delà le jeu génital?

Que ressent la fillette de 11 ans, se pâmant pour ses idoles, devant l'image que lui renvoie son miroir?

Le garçon de 13 ans est-il préoccupé par la physiologie de l'érection ou par l'émoi, l'anxiété et le plaisir qui y sont associés?

Facile de parler de contraception à son adolescente et de maladies sexuelles à son adolescent! Plus ardu de partager l'angoisse, l'étonnement, la peur et le désir qui les tiraillent. L'affectivité est la dimension la plus escamotée du devenir sexuel parce qu'elle trouble tous les adultes. Raison de plus pour s'y intéresser: elle est essentielle à l'intériorisation des valeurs que nous souhaitons transmettre à nos jeunes. Éducation sexuelle ne va pas sans éducation affective. Voilà un terrain fascinant qui ne comporte d'autre danger que celui de nous remuer un peu à l'intérieur.

Pas de grands objectifs ici. Seulement un vœu, non pieux je l'espère: contribuer à réduire la zone de silence entre les générations.

Au risque de passer pour une illuminée, en ces années de misère sexuelle, je mise sur l'espoir. L'espoir qui, tout compte fait, commence lorsque le désespoir est surmonté. L'espoir qui me dit que, loin de démissionner, vous prendrez la place respectueuse et respectable que les enfants sont prêts à vous accorder.

Ouverture

Si vivre sa sexualité en cette fin de millénaire n'est pas de tout repos, qu'en est-il de l'éducation sexuelle des enfants et des adolescents ? Une mission à accomplir ? Une source d'irritation pour les parents ? Une surcharge de travail pour les enseignants ? Une chasse gardée pour les intervenants des services sociaux ? Le rôle de qui ? Tout le monde en parle, tout le monde en fait. Mais tout le monde, c'est parfois personne !

C'est dans le noyau familial que s'implantent les fondations d'une sexualité saine ou... tordue.

Il y a quelques années, j'ai mené, avec des collègues, une enquête auprès d'une centaine de jeunes du niveau secondaire. Nous leur avons demandé entre autres si la sexualité était un sujet discuté en famille. Résultat : environ 80 % ont répondu négativement. La même question posée aux parents des mêmes élèves atteignait à peu près le même pourcentage, mais positif ! Qui mentait ? Probablement ni les uns ni les autres.

Les réponses apparemment contradictoires témoignent avec éloquence d'une perception différente de ce qu'est la discussion sur la question sexuelle. Pour l'adolescent, recevoir une information factuelle sur les MTS ou sur la puberté n'équivaut pas à un dialogue sur la sexualité. Le parent, embarrassé par le sujet, peut avoir le sentiment du devoir accompli s'il en a parlé une fois ou deux.

Nous vivons dans une société qui prévient. On prévient le suicide, les toxicomanies, la violence, la maladie, les grossesses non désirées, les abus sexuels, le sida... Tout occupés que nous sommes à regarder devant, avons-nous perdu la possession de nous-mêmes au présent ? Le rôle des parents est de travailler à enrichir la vie, d'aider à lui trouver un sens, de donner aux jeunes quelque chose à aimer, quelque chose qui les liera à la vie. Bien enraciné, l'intérêt pour la vie survit, même dans l'enfer du désespoir, et il pousse à en sortir.

Les enfants et les adolescents ont plus que jamais besoin de leurs parents ; besoin de la présence d'hommes et de femmes qui leur servent de phares, qui soient capables de partager ce qu'ils sont autant que ce qu'ils savent ou croient savoir. Émerveillement, partage et affectivité constituent les matériaux de base de cet art à inventer qu'est l'éducation sexuelle.

Trois grands sentiers parcourent le paysage sexuel dans lequel je vous invite. Le premier propose un honnête examen de conscience : démêler l'écheveau de l'éducation sexuelle reçue, réfléchir sur sa perception personnelle de la sexualité, identifier ses couleurs, ses limites, ses malaises... Le deuxième parcourt une longue distance : celle du développement psycho-sexuel qui va de la naissance à l'âge adulte. Une attention particulière sera accordée au *comment* de l'intervention éducative. Enfin, le troisième présente une kyrielle de dossiers chauds et de situations particulières choisis pour l'inquiétude qu'ils provoquent ou parce que je les ai jugés importants dans une perspective de mieux-être sexuel.

Je devine votre pensée : « Dieu ! que c'est compliqué la sexualité ; c'est pourtant naturel ! » Eh oui, la santé aussi, c'est naturel et il arrive qu'elle se déglingue ! Dès le départ, comprenons-nous bien. Je ne pense surtout pas qu'il faille parler davantage de sexualité. Mais j'ai le sentiment qu'il est grandement temps d'en parler différemment. Cette approche que je défends sera-t-elle efficace ? Réduira-t-elle les conséquences malheureuses des lendemains de la révolution sexuelle ? Formellement, je n'en sais rien et, de toute façon, l'essentiel n'est jamais mesurable. Disons que tout me porte à croire qu'elle est valable, humainement. La méthode de travail est simple : se laisser éclairer pour être éclairant, se laisser toucher pour rejoindre l'autre.

Il y a une chose dont je suis certaine : toute tentative d'éducation sexuelle sera vaine tant que nous ne mettrons pas nos pendules à l'heure de nos enfants.

PREMIÈRE PARTIE

Adulte-parent et sexualité

Aucun homme ne peut rien vous révéler sinon ce qui repose déjà à demi endormi dans l'aube de votre connaissance.
Le maître qui marche à l'ombre du temple ne donne pas de sa sagesse mais plutôt de sa foi et de son amour. S'il est vraiment sage, il ne vous invite pas à entrer dans la maison de sa sagesse mais vous conduit plutôt au seuil de votre propre esprit.
Car la vision d'un homme ne prête pas ses ailes à un autre homme.

KHALIL GIBRAN
Le prophète

CHAPITRE PREMIER

Il était une fois la sexualité

Dans le *Petit Robert,* la première définition du mot sexualité date de 1838 : « Caractère de ce qui est sexué, ensemble de caractères propres à chaque sexe. Voir génitalité. » La deuxième date de 1924 : « Ensemble des comportements relatifs à l'instinct sexuel et à sa satisfaction (qu'ils soient ou non liés à la génitalité). Voir libido [...]. »

C'est donc en 1838, alors que nos patriotes se battaient à la fourche pour sauvegarder notre langue, nos droits et la survie de la nation, qu'est apparu le mot sexualité dans la langue française. Exemple flagrant du retard des mots sur les comportements et les réalités. Qu'il me soit permis de risquer une version « petite Robert » de ce vocable.

CE QU'ELLE EST, CE QU'ELLE N'EST PAS

La sexualité est une dimension fondamentale de l'être humain qui s'imbrique dans la totalité de la personne et la colore dans tout ce qu'elle est. Fondamentale, puisque présente comme caractère essentiel et déterminant dès la naissance (et même avant : on sait maintenant qu'au dernier trimestre de la vie intra-utérine, le fœtus a des réactions génitales). C'est une composante, ni plus ni moins importante que les autres, d'un être humain, d'une existence, d'une société. Si la sexualité prend naissance dans le monde biologique, son expression, à travers l'histoire, la culture et les arts, varie à l'infini. Énergie vitale, elle se manifeste en nous et par nous tout au long de notre vie.

Connaissez-vous l'histoire de cette mère qui se désespérait du fait que son fils de deux ans était, selon elle, toujours en érection? N'en pouvant plus, elle décida d'aller consulter son vieux médecin de famille: «Ça n'a pas de bon sens, docteur, il est toujours en érection! Pas moyen de faire sa toilette, de changer sa couche, de lui faire des câlins, sans que son pénis ne bondisse comme un petit diable. Ça n'est pas normal! Qu'est-ce que vous donneriez pour ça, vous, docteur?»

Le vieux médecin écouta religieusement. Il réfléchit, sérieux. Puis, après un moment de lourd silence, lui répondit: «Moi, madame, pour cela je donnerais... heu... ma BMW, mon voilier et ma maison de campagne!»

Morale de cette histoire: la sexualité commence avec la vie et finit avec la mort. Cette fiction met en scène trois personnes qui expriment leur intérêt sexuel selon l'épisode singulier de leur vie: un bébé réagit sensuellement, génitalement et normalement à des contacts agréables, une femme interprète les réactions de son bébé en fonction de l'éducation reçue, de ses attitudes et de ses valeurs personnelles, un homme vieillissant plaisante sur ses performances viriles... passées.

La sexualité est comme un thème musical, avec des variations de l'expression et de l'interprétation qui, selon les circonstances, sont propres à chacun. Elle s'estompe, s'emballe, trébuche, se tait et refait surface... Elle patauge, fuit, bondit fougueusement, emprunte des détours inattendus... Elle se tait irrémédiablement avec le dernier opus lorsque le musicien quitte la scène de la vie.

Globale, elle se compose de l'identité sexuelle, des rôles que l'on adopte, de l'expression de soi à travers la tendresse, l'amitié, l'amour, l'érotisme, la sensualité, le plaisir, l'orientation sexuelle, les stéréotypes culturels que l'on admet, que l'on tolère ou que l'on condamne selon qu'ils font notre affaire ou pas. Le principal organe sexuel humain est le cerveau. Ce qui se passe entre les deux oreilles est sexuel au même titre que ce qui s'anime entre la taille et les cuisses.

Notre réalité d'homme ou de femme se traduit jusque dans nos tendances, engagements et philosophies. Renforcée par la culture, elle nous conditionne dans le choix de telle ou telle profession et imprègne notre manière de l'exercer. Ce n'est pas un hasard si le premier juge québécois à s'émouvoir publiquement sur le sort des enfants est *une* juge[1]. Féminité et masculinité sont des traits de nature et de culture. Tout n'est pas appris, tout n'est pas génétique, tout n'est pas environnemental, tout n'est pas hormonal. Il existe une spécificité féminine et une spécificité masculine ; le reconnaître ne dissimule aucun jugement de valeur, aucune allégeance féministe ou antiféministe.

Enfin, au même titre que le bien-être physique, mental et émotionnel, la sexualité fait partie intégrante de la santé et de la qualité de vie. Elle est étroitement liée à l'intimité, à l'affectivité et au développement de la personne. La physiologie de l'acte sexuel est une chose dont la compréhension clinique n'est pas négligeable, mais le sens que revêt, pour un homme ou pour une femme, le fait de séduire, d'être choisi et de faire l'amour est une tout autre chose, dépassant largement la gestuelle. Toute demande, qu'elle se situe sur le plan de la tendresse, de l'amitié ou de la reconnaissance personnelle, est une demande d'amour. Être accueilli physiquement ou ne pas l'être viendra fortifier ou saper l'estime de soi.

De surcroît et, en fait, en tout premier lieu, la sexualité est une relation avec soi-même.

- Que m'apporte cette relation ?
- Ce comportement sexuel est-il bon pour moi ?
- Quel effet a eu sur moi ce récent épisode gynécologique (accouchement, stérilisation, ménopause) ?
- Comment est-ce que je me sens dans ma peau d'homme de 40 ans ?
- Pourquoi cette attitude de mon fils ou de ma fille me dérange-t-elle autant ?

On peut contourner la sexualité, la nier, l'écraser, la maudire ou la louanger. On peut en rire ou en pleurer. On ne la supprime pas. Quand on s'y essaye, on ne parvient qu'à abîmer la personne. La sexualité ressurgira, mutilée mais bien vivante.

Mouvante, évolutive, changeante, elle se dit et se dédit, s'éclate, s'attriste ou se réjouit, se ratatine. Elle murmure, bavarde ou se mure. Elle enrichit ou elle appauvrit. En elle-même, elle n'est ni bonne ni mauvaise. Elle est. Elle peut traduire l'amour comme la

1. Ruffo, A., *Parce que je crois aux enfants*, Montréal, Éditions de l'Homme, 1988.

haine, l'accueil comme le rejet, l'infinie tendresse comme la violence concrète. Il appartient à chaque individu de faire de sa sexualité une source de mieux-être, de croissance et de satisfaction. Il appartient à chaque parent de témoigner de ce potentiel d'émerveillement ancré dans le respect, le partage et la dignité.

LA SEXUALITÉ D'HIER À DEMAIN

Au XVIIIe siècle, le terme « sexuel » désignait la différence génitale entre l'homme et la femme. Par « sexe », on entendait « féminin ». Les personnes du « sexe », c'étaient les femmes ! Dès le XVIe siècle, bien que le mot sexualité ne fût pas encore en usage, la langue française possédait quelque 300 vocables pour désigner l'acte sexuel, et environ 400 pour nommer les parties génitales[2]. La *sexualité* n'existait pas mais l'imaginaire débordait de créativité linguistique sexologique.

Il n'y a pas si longtemps, on ne parlait pas de sexualité. Mais on se reproduisait allègrement, comme en font foi nos bonnes vieilles familles québécoises qui comptaient les enfants à la douzaine. La sexualité a longtemps été considérée dans son unique fonction de reproduction de l'espèce. La percevant comme un obscur mystère, on dispensait une sorte d'éducation sexuelle implicite faite de silences, de sous-entendus, de mises en garde et de mensonges. Les enfants, tant bien que mal, potassaient pour débrouiller l'énigme. Reportons-nous à il y a une cinquantaine d'années seulement, quelque part au Québec ou ailleurs...

Louis, 10 ans:

Ma mère est partie chercher un bébé chez les sauvages[3]; on ne sait même pas s'ils vont m'apporter un frère ou une sœur!

Cécile, 9 ans:

Chez les sauvages? Pourquoi va-t-elle aussi loin? Moi, ma mère est juste allée dans le potager; mon frère a poussé dans une feuille de chou pendant que j'étais chez ma grand-mère.

2. Van Ussel, J., *Histoire de la répression sexuelle,* Paris, Laffont, 1972.

3. À une époque pas si lointaine et peu préoccupée par le *politically correct,* on appelait un Amérindien, un « sauvage ».

Françoise, 9 ans :

Moi, je sais la vérité ! Ma grand-mère me l'a expliquée. C'est pas du tout ce que vous dites ! C'est une cigogne, un grand oiseau, qui apporte les poupons. Mais je ne comprends pas que le bébé ne se fasse pas mal en tombant par terre...

Louis :

Peut-être que la cigogne laisse tomber le bébé chez les sauvages qui l'attrapent !

Cécile :

Voyons donc, les sauvages ne passent pas leur temps les yeux au ciel pour surveiller les cigognes ! Peut-être qu'elles volent très bas puis qu'elles le déposent dans un chou.

Françoise :

C'est bizarre, tout ça. Comment se fait-il qu'on ne voie jamais de cigognes, ni de bébés dans les choux, ni de sauvages ?

Le message d'ordre sexuel reçu par les gens de ma génération n'était pas moins trouble : *la sexualité, c'est merveilleux, n'en parlons surtout pas à nos enfants*. Pourquoi taire la beauté ? Ou bien : *la sexualité, c'est sale, honteux, péché ! Gardons cela pour la personne qu'on aimera vraiment*. Un beau cadeau !

Je me souviens d'une amie qui était pensionnaire chez les religieuses. Lorsqu'elle avait ses règles, elle devait se présenter au magasin du couvent et chuchoter à la sœur économe qu'elle avait besoin d'« oreilles de lapin ». C'était en 1960. Que d'ambivalence, de paradoxes et de gribouillis dans ces images que nous avons, hélas ! englouties.

Vint ensuite ce qu'on a appelé la révolution sexuelle. On déchira le voile épais qui enveloppait la question sexuelle. On ne parlait plus que de sexe, on « faisait le sexe », métamorphosant le fléau en panacée. L'avènement de la contraception par voie orale a permis aux femmes de « s'envoyer en l'air » comme des crêpes, en même temps qu'elles balançaient leurs soutiens-gorge. C'étaient les années magiques du *peace and love*, de « l'amour libre », des communes, des hallucinogènes et de l'ancrage du mouvement de libération des femmes. Mais la magie, tout le monde le sait, à moins d'une indicible crédulité, n'est que prestidigitation. Nous étions passés de la grande noirceur à l'illumination par le sexe.

Voici que le temps et les minois se rembrunissent. Le ciel se peuple d'ombres : MTS, sida, agressions et crimes sexuels, pornographie infantile, prostitution juvénile, inceste... Un clair-obscur. Qu'est-ce qui se passe ? Nos lendemains seront-ils meilleurs ? Est-ce si tragique ? À moins d'être prophète, nul ne peut répondre à de semblables questions. La conjoncture sociosexuelle actuelle nous force indéniablement à définir de nouvelles valeurs, à rechercher un nouvel équilibre, à nous inventer des comportements. Sans banaliser certaines des réalités actuelles, je suis d'avis qu'il convient de ne point plonger tête première dans l'affolement.

Prenons l'inceste. Pas une semaine ne s'écoule sans que nous paniquions devant la quantité de cas signalés. « Y en a-t-il autant ? Tellement plus qu'autrefois ? On dit que c'est la pointe de l'iceberg... » Nous n'avons pas de statistiques valables sur le sujet. Cependant, pour avoir travaillé auprès de femmes victimes de violence conjugale, j'ai pu constater qu'un nombre faramineux de femmes de 40, 50 et 60 ans avaient été victimes d'inceste dans leur enfance. Ce n'est que 30, 40 et 50 ans plus tard qu'elles en parlent pour la première fois, qu'elles osent se souvenir. Cela laisse supposer que l'iceberg est ancestral ; la rupture du silence serait l'élément nouveau qui permet d'en apercevoir la pointe.

Quant aux autres méfaits, avatars ou conséquences fâcheuses qui malmènent en ce moment la sexualité (abus, MTS, pornographie, exploitation, taux de grossesses accidentelles malgré l'accessibilité de la contraception et, en particulier, sida), il n'y a, à ce jour qu'une solution pour lutter contre eux, une solution non pas miraculeuse mais certes porteuse d'espoir : une information et une éducation positives.

Je crois aux enfants et aux adolescents. Je les juge sains et capables de faire des choix responsables en rapport avec leur sexualité. Je doute de plus en plus que la chasse aux sorcières, le « faire-peur », puisse donner quelque résultat. Ont-ils tort de ne voir là que notre obsession à déverser sur eux nos propres angoisses ? Prenons le condom. Je suis tentée de croire qu'en le présentant dans un contexte de plaisir, de jeu, de satisfaction, on susciterait le goût de la responsabilité sexuelle. Comment leur donner envie de choisir de « capoter » en se « capotant » si on ne leur parle que de maladies et de mort ? Érotiser le condom serait érotiser aussi la responsabilité. Et pourquoi pas ? Est-il inimaginable qu'un père vante à son fils les bienfaits de ce préservatif ? Qu'une mère en fasse autant ?

Possible mais pas facile, direz-vous. Il y a un long chemin à parcourir avant d'atteindre à une telle limpidité d'approche. On peut y penser. Rappelons-nous que les normes d'aujourd'hui en matière de sexualité contrastent avec celles qui prévalaient hier. Quand j'étais adolescente, la fille de 20 ans qui avait eu une relation sexuelle « complète » avant le mariage se faisait dire : « Tu es souillée. Aucun homme ne voudra de toi ! » Aujourd'hui, c'est devant la fille de 20 ans qui n'a pas encore « couché » qu'on s'exclame : «Ça ne va pas ? Il est grand temps que tu te "déniaises" ! » Comme quoi, ce qui est déviant un jour peut s'avérer la norme le lendemain.

L'urgence nous pousse vers de nouvelles façons d'intervenir. Et s'il suffisait d'inventer cette norme en se collant aux besoins de nos enfants et de nos adolescents, en maintenant la communication sans nous sentir rejetés, en nous ouvrant à leurs valeurs ? La sexualité n'a jamais été naturellement intégrée à la vie. Elle n'a jamais été traitée de manière simple, sans complication ou affectation. Elle a été, au fil du temps, l'objet des plus grands hommages comme des pires offenses. Devant nous s'ouvre peut-être un épisode historique sans précédent : on abordera la sexualité simplement, sans plus.

DES NOTIONS À CLARIFIER

Il vaut la peine pour chaque personne de démêler l'enchevêtrement des normes sociales et culturelles assimilées, l'éducation reçue, les conceptions de la sexualité, héritées de mère en fille ou contestées de père en fils... Ces facteurs, en se juxtaposant et en s'amalgamant à la personnalité propre, ont engendré des valeurs individuelles. Chez le parent, ces valeurs donnent le ton à la dynamique relationnelle établie avec l'enfant ou l'adolescent concernant la sexualité.

Une valeur, c'est ce que chacun considère vrai, beau, bon et bien selon son jugement personnel, plus ou moins en accord avec la société dans laquelle il évolue. Notre échelle de valeurs nous les fait classer de la plus haute à la plus faible selon notre conscience et nous sert de référence dans nos jugements et notre conduite. Il est important que le parent clarifie ses valeurs et sa conception de la sexualité.

> La valeur est une représentation personnelle de ce qui est désirable. Les valeurs, sexuelles et non sexuelles, sont les clés d'interprétation qui orientent nos jugements humains[4].

Elles sont au cœur de la personnalité. On peut adhérer à des valeurs identiques à partir de motivations différentes. Le catholique engagé et l'humaniste fervent proposent comme valeur le respect de soi et d'autrui. Pour le premier, le respect est une exigence de sa foi et de son amour de Dieu alors que pour l'humaniste, c'est un impératif de son amour des êtres humains[5].

L'attitude est une disposition de l'esprit qui se traduit par la fermeture ou l'ouverture à certaines idées. Elle se manifeste lorsqu'on est appelé à juger d'une situation.

Jean a 25 ans et il compose avec un sévère handicap depuis son tout jeune âge. À la fin d'une entrevue avec lui, dans un centre hospitalier de soins prolongés, je lui dis en le remerciant: « Si tu as, à ton tour, quoi que ce soit à me demander, je suis à ta disposition... » Il me rétorque de but en blanc: « Oui, j'ai quelque chose à te demander. Je n'ai jamais vu les seins d'une femme. Je rêve d'en voir de vrais. Voudrais-tu, s'il te plaît, me montrer les tiens ? »

Voilà une situation illustrant les aléas du métier ! Mais voici surtout une circonstance où l'attitude est hardiment sollicitée. Attitudes possibles:

1. « Qu'est-ce que c'est que ces manières? T'es cinglé ou quoi ! » (Jugement porté sur la personne.)
2. « Je voudrais bien mais je ne peux pas. Tu te rends compte, si le directeur arrivait ! » (Question contournée.)
3. « C'est une blague? De toute façon, mes seins te décevraient, je n'ai plus 20 ans tu sais... » (Question contournée, fermeture à la personne.)

---

4. Samson, J.-M., « Les valeurs sexuelles des jeunes », dans *Jeunesse et sexualité*, Montréal, Iris, 1985.
5. Désaulniers, M.-P., « La place des valeurs en éducation sexuelle », dans *Apprentissage et socialisation*, Conseil québécois pour l'enfance et la jeunesse (CQEJ), Montréal, 1988.

4. « Ta demande me stupéfie un peu ! Je ne te montrerai pas mes seins. Je ne le veux pas. C'était ton droit de me faire cette demande. C'est mon droit de refuser. » (Question abordée de front ; rejet de la demande sans rejet de la personne.)

Vous aurez deviné que j'ai adopté la quatrième attitude. Vous aurez compris aussi que, dans ce cas, c'est l'intérêt frustré de Jean pour les choses sexuelles qui, en situation de confiance, s'est exprimé. Il ne s'agissait pas là d'un manque de respect ou d'un intérêt qui m'était spécifiquement destiné. Évidemment, dans le feu de l'action, on ne fait pas toujours l'analyse des diverses attitudes possibles à adopter. On réagit spontanément, en fonction de ses valeurs. On peut toutefois apprendre à ne pas se fermer à une personne même quand on désapprouve ses actes ; d'autant plus lorsque ceux-ci ne font que refléter une détresse humaine et sexuelle. Cela est prioritaire dans toute démarche éducative, à plus forte raison quand il s'agit de ses propres enfants.

Les attitudes n'ont pas toujours de lien direct avec l'action. C'est l'intérêt qui incite à l'action. Si nous nous intéressons à quelque chose ou à quelqu'un, tout nous porte à acquérir cette habileté ou à rechercher la présence de cette personne. L'intérêt sexuel engendre le désir qui se distingue du besoin par son caractère humain, conscient et relationnel : l'animal a des besoins, l'être humain a des besoins, des désirs, de l'intérêt. Certains besoins, liés à la survie et à la réalisation de soi, sont fondamentaux. Ils sont ressentis comme un manque et déclenchent une motivation à l'action pour combler le vide et ramener l'équilibre. La nature, la culture et le milieu social créent des besoins et engendrent des désirs qui gouvernent l'action.

Réfléchir à ces notions permet de mettre en relief nos préjugés pour mieux les dépasser quand la situation familiale appelle le respect, la tolérance ou la neutralité. Enfin, il importe que nous soyons attentifs à nos besoins, à nos limites et à nos intérêts personnels. Ils sont à dissocier de ceux de nos enfants.

MES VALEURS SUR LE PLAN DE LA SEXUALITÉ

Tout individu et toute société se réfère à des valeurs. Toute personne véhicule des valeurs : le créateur, par son art ; l'enseignant, par les tonalités de son approche pédagogique ; le parent, par les couleurs de son accompagnement. Choisies librement ou assimilées par réflexe, elles sont d'ordres moral, social, religieux, patriotique, esthétique, humaniste, etc. La sexualité peut, en elle-même, être considérée comme une valeur riche d'un potentiel d'épanouissement personnel, même si elle ne le garantit pas. Impossible de parler de sexualité sans parler de valeurs. Autant énoncer sans détour celles qui sont inestimables à mes yeux : dignité, intégrité, responsabilité.

La dignité englobe les concepts de respect et de considération que mérite chaque être humain.

L'intégrité renvoie à la droiture, à l'authenticité, à la transparence et à la notion de consentement véritable.

La responsabilité s'étend à la nécessité intellectuelle et morale de s'assumer, de remplir ses engagements, de se prendre en charge.

Ce sont des valeurs humanistes à caractère universel. Peu limitatives, elles risquent moins de heurter les morales plus rigoureuses et ne sont pas d'emblée en contradiction avec elles. Ce choix ne m'a pas été inspiré par le souci de plaire à tout le monde, ce que je n'espère plus depuis belle lurette. Du « privé » au « public », il s'est imposé à moi au fil des années et des expériences. Dans mon esprit, le concept de respect doit aller aussi loin qu'il le peut et doit inclure le respect des valeurs des autres personnes et des groupes. Néanmoins, à l'instar des êtres humains, les valeurs, si nobles soient-elles, ont aussi leurs frontières.

Jeune professionnelle de la sexologie, j'avais été approchée pour intervenir auprès d'hommes condamnés pour viol. Au moment de conclure l'entente contractuelle, j'ai eu des réticences plus ou moins conscientes, mais j'ai accepté : une expérience de travail nouvelle et... des honoraires alléchants, pourquoi pas ? Ce boulot m'a permis de cerner mes limites ! Je n'arrivais pas à dissocier les actes abusifs et violents qui avaient été commis des personnes mêmes qui les avaient perpétrés. J'étais impuissante à me dégager émotivement : leurs récits me donnaient envie de vomir et de devenir à mon tour « agresseur ». J'ai dû reconnaître mon incapacité à aider ces hommes.

Les notions, si chères à mes yeux, de respect et de considération que mérite chaque être humain venaient de connaître leur Waterloo.

Plus tard, on m'invita à travailler auprès de jeunes garçons, de 12 à 18 ans, qui avaient abusé sexuellement de tout-petits. Il va sans dire que tout comportement abusif me révolte toujours et plus encore à l'endroit des enfants. Je réfléchis ; je n'ai pas de réticences « brouillons » comme cinq ans auparavant. Je crois, je ressens profondément que toute personne a droit au traitement. Je m'engage auprès d'eux et ça va. Mon approche est sévère, mais je ne les rejette pas systématiquement.

Tout ça pour dire qu'on chemine. Je vous ferai grâce de toutes les autres limites que je n'aurai jamais le temps ou la capacité de dépasser. Nous sommes tous et toutes plus ou moins farcis de contradictions et de préjugés, tiraillés entre nos conceptions rationnelles et le langage de nos « tripes ». En sexualité, plus peut-être que dans tout autre domaine, on ne peut passer outre à certaines confrontations. Que de vacarme intérieur parfois !

Je souscris à la pensée qu'il n'y ait, dans la sexualité, ni essence, ni lois naturelles, ni valeurs immuables, mais des sujets pensants et agissants. Tant la morale libertaire que la morale rigide sont à boycotter au profit d'une éthique personnelle et collective qui tienne compte du respect, de la responsabilité et du consentement.

Je me souviens de la question d'un enseignant lors d'une de mes conférences dans l'Est canadien : « Que puis-je répondre à un parent qui soutient que vos livres destinés aux enfants ne défendent pas les valeurs chrétiennes ? » me demanda-t-il. Avant que je n'aie le temps de répondre, une dame dans la salle répliqua qu'à sa connaissance, le message du Christ était un message de dignité et que mes volumes destinés aux jeunes en étaient imprégnés. Je n'avais rien eu à ajouter. Au lecteur qui souhaiterait entendre de ma bouche ou plutôt lire de ma plume l'aveu de mes allégeances, je confesserai : oui, les valeurs que je défends sont chrétiennes. Je suis chrétienne, au sens étymologique du terme. Qu'est-ce à dire ? J'adhère sans réserve au message révolutionnaire qu'a apporté le Christ. Je souscris entièrement aux divines valeurs qu'il a défendues : liberté, dignité, amour des êtres humains... Je ne professe point la chrétienté orthodoxe, catholique ou protestante des Églises qui ont, à mon point de vue, jugulé la parole chrétienne initiale.

Et je reprends à mon compte les questions que posait Champagne-Gilbert à l'Église il y a déjà 20 ans.

> Où est l'engagement de l'Église pour combattre les agressions sexuelles, l'inceste, pour venir en aide aux femmes battues par leur conjoint ? Où est son engagement pour réduire l'indigne problème des enfants maltraités et abusés ?

> Où est son engagement pour combattre la prostitution juvénile, l'utilisation des femmes et des enfants dans le matériel pornographique, pour contrecarrer le marché économique de l'exploitation sexuelle ?
> Comment l'Église, dont la mission théologique et pastorale est de promouvoir la dignité humaine, peut-elle être si peu concrètement ouverte à l'éducation sexuelle dont le principal ferment est précisément d'élever à cette dignité[6]?

Quand l'Église se « commettra » dans ces dossiers, j'aviserai...

Pour compléter cette mise à nu, je vous confierai un fait amusant : je me prénomme aussi Christiane, et ce prénom signifie « chrétienne » ou « rendre chrétien », alors que Jocelyne veut dire « joyeuse » ou « qui répand la joie ». Christiane-Jocelyne, chrétienne-joyeuse : assez évocateur comme juxtaposition et, quant à moi, sans antinomie aucune. Quand je pense à l'histoire de ma naissance, je commence à croire que nos prénoms nous sont prédestinés. Mes parents m'ont-ils appelée Christiane parce que mon arrivée sur la planète tenait presque du miracle pour eux ? Et Jocelyne parce qu'il fallait que je répande beaucoup de joie pour faire accepter ma venue imprévue ?

Décidément, ce thème des valeurs est emballant ! Le voilà qui me fait faire des sauts jusqu'à de lointaines sources. Je vous avais prévenu que je serais « tout d'un bloc », même avec les écarts.

6. Champagne-Gilbert, M., *La famille et l'homme à libérer du pouvoir,* Montréal, Leméac, 1980.

CHAPITRE 2

L'éducation sexuelle à la maison

Beaucoup de parents s'imaginent, à tort, avoir perdu toute influence sur leurs enfants. Certains traînent une culpabilité résultant de crises qui se sont traduites par un divorce, une fuite en avant ou en arrière, un virage brusque, une concentration sur leur cheminement personnel... D'autres se sentent dépassés par des réalités (sida, abus, etc.) à affronter en même temps que leurs enfants et qu'ils n'ont pas eu le temps de digérer. Et puis, il y a tous ces spécialistes du comportement qui mettent trop souvent l'accent sur l'incapacité des parents. Et les médias, l'État, le réseau scolaire et les organismes sociaux qui prennent la relève...

Comment s'y retrouver ? Comment réagir ? En continuant, malgré et avec les erreurs, en occupant sa place. Surtout, ne pas démissionner. Les parents sont encore pour leurs enfants et adolescents les références les plus précieuses. La famille, élargie, reconstituée ou rétrécie, mono, bi, tri, ou quadraparentale est toujours pour les jeunes un refuge affectif dont ils ont un immense besoin.

UN ART À INVENTER...

Toutes les recherches menées auprès des adolescents depuis une vingtaine d'années ont montré que les jeunes souhaitent que leurs sources d'information sexuelle soient d'abord leurs parents. Elles ont en outre révélé que communiquer avec leurs parents est leur principale préoccupation. Les importants travaux de Goldman et Goldman[7] indiquent qu'en Amérique du Nord, la mère se classe au premier rang comme source d'information sur la sexualité auprès des jeunes et que le père arrive, malheureusement, bon dernier. Mais, après avoir observé, enquête après enquête, plus de 8000 jeunes sur une période de 12 ans, Sol Gordon[8] conclut que moins de 15 % d'entre eux reçoivent une éducation sexuelle significative de la part de leurs parents. Conclusion : le dialogue n'est jamais facile.

Par ailleurs, aucune recherche n'a jamais démontré que l'éducation sexuelle à l'école pouvait amoindrir le rôle des parents ou éroder leur influence sur leurs enfants. Les jeunes interrogés par Bozzi[9] disant recevoir une éducation sexuelle à l'école n'avaient ni diminué ni accru le dialogue avec leurs parents. Par ailleurs, ceux qui ne recevaient pas d'information sexuelle, ni dans leur milieu scolaire ni dans leur famille, étaient autant actifs sexuellement. Cette étude révélait aussi que le nombre de jeunes sexuellement actifs chutait significativement lorsque se combinaient les sources d'information. Conclusion : l'école et la famille exercent une influence sur le comportement sexuel des adolescents.

Il est impossible de ne pas communiquer. Le mutisme le plus total transmet en lui-même un message révélateur. La sexualité n'échappe pas à cette règle. C'est d'ailleurs ce genre d'éducation sexuelle tacite que nous avons tous plus ou moins reçu.

Comme modèles d'hommes et de femmes, en étant simplement ce que nous sommes, nous transmettons un message. Rendre explicite ce message est question de décision, d'invention créative. L'éducation sexuelle de l'enfant est un art à inventer, car nous avons peu de points de repère. Nous n'avons pas appris à parler de sexualité. Nous n'avons ni recette ni modèle, et c'est heureux. Le vide ou le manque aiguillonnent la créativité. Ingrédients et matériaux sont là.

L'éducation sexuelle de l'enfant passe par le créneau de l'adulte-parent et appelle l'examen de conscience.

---

7. Goldman, R. et J. Goldman, « Sources of Sex Information for Australian, English, North American and Swedish Children », dans L. Gaudreau, *Informations générales sur l'éducation sexuelle*, CQEJ, Montréal, 1989.
8. Gordon, S., « What Kids Need to Know », dans L. Gaudreau, ouvr. cité.
9. Bozzi, V., « Adolescence : Sex Education and Experience », dans L. Gaudreau, ouvr. cité.

- Qu'ai-je reçu comme éducation sexuelle ?
- Comment aurais-je souhaité communiquer avec mes parents sur ces questions ?
- Est-ce que je veux transmettre ce que j'ai reçu ?
- Quels sont les sujets qui me mettent mal à l'aise, me font peur ?

Identifier ses limites personnelles est une condition de base pour tout intervenant dans le domaine de la sexualité. Vouloir s'en affranchir pour devenir un parfait parent est... parfaitement vain. Il s'agit au contraire de respecter ses limites propres sans limiter autrui, de reconnaître ses difficultés, et même de les exprimer sans espérer les faire partager.

Éduquer à la sexualité, c'est la dire avec naturel, clarté, simplicité. Avec fraîcheur, plaisir et étonnement dans un contexte de partage, de chaleur et de beau temps. Vous direz que je fais de la poésie ! Peut-être. Et pourquoi pas ? L'école n'a pas prévu d'enseignants-poètes ; la famille ne pourrait-elle pas s'octroyer ce joli mandat ? Je pense que oui, dans la mesure où la poésie serre de près la réalité. Les jeunes, j'en suis témoin, en ont ras le bol des approches factuelles, médicalisées, rigoureuses et sèches desquelles ils ne retiennent d'ailleurs à peu près rien.

Ils ont besoin d'entendre une mélodie en accord avec leurs préoccupations véritables, qu'on leur dise ce qui les émerveille plutôt que ce qui nous tourmente, qu'on leur parle de ce qu'ils vivent plutôt que de ce qu'on souhaite qu'ils ne vivent pas, qu'on leur communique ce qu'ils sont en mesure et en désir de comprendre plutôt que ce qu'on veut qu'ils comprennent « au plus sacrant ».

Il est crucial d'inventer de nouvelles tonalités à notre discours si nous espérons rejoindre les enfants et les adolescents. L'éducation sexuelle à la maison doit tenir compte des faits et des réalités tout en étant messagère de vie, d'espoir, d'amour.

... ET À RÉINVENTER QUOTIDIENNEMENT

Notre sexualité nous ressemble. Elle ressemble à nos journées, à nos humeurs, à nos vies.

J'ai côtoyé beaucoup d'enfants dans l'exercice de ma profession. J'ai aussi vécu entourée de jeunes. Assez pour me rendre compte qu'une éducation sexuelle efficace s'insère dans le quotidien. On a trop tendance, encore aujourd'hui, à extirper la sexualité de la vie, à la traiter isolément.

Oui, mais mon enfant, lui, ne pose jamais de questions ; il ne nous parle de rien, et nous ne trouvons pas de situations propices pour aborder le sujet.

Ces occasions existent. Encore faut-il les voir et les saisir. Cela peut être une série télévisée, la vue d'une femme enceinte ou d'un couple d'amoureux, la manchette d'un journal, la visite de l'oncle Untel dont l'orientation sexuelle est différente, votre fille de sept ans qui vous annonce qu'elle se marie avec Frédéric qui en a huit... et que sais-je encore ?

Que dire des émissions de télévision dont les jeunes se délectent ! Leur contenu foisonne d'éléments propices pour amorcer le dialogue : l'amour, la passion, la violence, l'abus, l'attirance, les stéréotypes, l'érotisme, la nudité, la grossesse, l'avortement, les idoles, la beauté physique, et j'en passe. Il y a quelques années, j'intervenais auprès d'enfants de 12 et 13 ans. Chacune de nos rencontres décollait grâce à une situation tirée d'une populaire télésérie, diffusée la veille. Il fallait voir et entendre ces préadolescents : ils étaient passionnés !

Dans le même ordre d'idées, bien des vidéos, des films, des clips, des textes de chansons et des sites Internet peuvent être prétexte à des discussions sur la sexualité : la pornographie, le machisme, la dépendance affective, l'orientation sexuelle... Nombre d'échanges fertiles avec vos enfants pourraient découler de ces intrigues audiovisuelles qu'ils avalent goulûment.

Le parent occupe une position de choix pour utiliser et récupérer les informations véhiculées par les médias. L'éducation sexuelle, pour être significative, doit rejoindre l'enfant dans sa vie de tous les jours et tenir compte de son milieu social ambiant. Pas nécessaire de prendre un rendez-vous officiel avec son fils ou sa fille pour parler de sexualité, comme cela se faisait naguère. Vos propres parents se souviennent, et vous aussi peut-être, de ce pathétique moment où la mère ou le père, taciturne et solennel, annonçait : « Bon. C'est ce soir que je te parle des choses de la vie ! »

« Les choses de la vie », nous pouvons en parler au jour le jour. Inutile de se fabriquer un vocabulaire de circonstance ou un langage « bébéiste ». La sexualité se dit avec des mots qui nous ressemblent et avec lesquels nous nous sentons bien. Nous n'y avons pas été habitués, c'est vrai. Cet apprentissage peut se faire à tout âge, avec un tantinet d'efforts, une petite dose de bonne volonté et une larme d'humilité.

L'éducation à la sexualité que nous voulons donner sera féconde le jour où les enfants en seront autant marqués positivement que nous l'avons été négativement par celle, implicite, que nous avons reçue. Celle-ci, fantomatique, était néanmoins omniprésente. Comme une grande toile d'araignée tissée à même nos vies : pas de vocabulaire pour nommer les choses du sexe, censure entre la taille et les cuisses, rareté des étreintes affectueuses, mains sur les couvertures au lit, confession hebdomadaire des plus banales pensées sexuelles, et tant de culpabilité. Nous revenons de loin.

Le jour où notre ouverture à la sexualité sera si réelle qu'elle coulera librement à travers ce que nous sommes dans notre quotidien familial, nous ne discuterons plus d'éducation sexuelle. Fini le débat social sur l'épineuse question. Au diable les sexologues-éducateurs ! Je serai au chômage et ravie d'y être. Je rêve de me recycler… à 50 ans[10].

LA PLACE DU PÈRE

La documentation portant sur la place du père dans l'éducation sexuelle brille par son absence. Comment interpréter cette vacuité ? Il y a bien quelques bons ouvrages sur les pères : les manquants, les manqués, les incestueux, mais aucun sur les pères qui s'engagent dans l'éducation affective et sexuelle de leurs enfants. Ce qui fait dire à Évelyne Sullerot — elle en a fait le thème d'un livre — que « la paternité n'est pas un sujet[11] ».

C'est un fait reconnu : la tâche d'éduquer à la sexualité a traditionnellement été dévolue aux femmes. Il arrivait autrefois que des pères, un peu canailles, guident leur fils vers une maison close en guise de rite d'initiation. Il m'arrive aujourd'hui de rencontrer des adolescents que leur père intronise dans le monde des hommes en les amenant « aux danseuses ». Les pères ont depuis longtemps cédé la place aux mères sur cette question, même auprès de leur fils. Voilà

10. Note de l'auteur : au moment de la réédition de cet ouvrage, j'ai franchi ce cap, mais je rêve encore.

11. Sullerot, É., *Quels pères ? Quels fils ?*, Paris, Fayard, 1992.

pourquoi bien des femmes ne sont pas prêtes à partager ce « pouvoir » et exercent une réelle mainmise sur tout ce qui touche aux enfants. Pourtant, il ne peut y avoir de père « sexo-éducateur » sans une certaine révolution paternelle et sans un certain recul de la mère. Pères et mères doivent saisir l'importance pour l'enfant d'être en contact avec deux sensibilités et deux approches concernant la sexualité. Grâce à la conjugaison des regards masculin et féminin, l'enfant a plus de chances d'avoir une perception juste et globale de la sexualité humaine.

DANS LES MÉDIAS

Les tenants de l'éducation sexuelle aspirent à démystifier la sexualité, tandis que l'environnement social et culturel nous y contraint par toutes sortes d'excitations brutales. Il y a plusieurs façons d'être heureux sans être aussi sexuel (et idiot ?) que le suggère la propagande pour le sexe : vidéoclips, sites Internet, cinéma, chansons, revues et litanies publicitaires pour la bière, le vin, le parfum, les boissons gazeuses, les voitures, les voiliers, les bas-culottes, les bijoux, les voyages et même, parfois, le yogourt et la nourriture pour chats !

La parade médiatique exhorte les jeunes à faire l'amour et à bien le faire pour parvenir à ce quelque chose d'extraordinaire qu'elle promet. Dans la réalité, « l'extraordinaire » se fait attendre... L'intimité sexuelle, si jeunes et beaux que soient les partenaires, apparaît extraordinairement banale, voire décevante, à ceux qui s'y initient, en comparaison de la fantasmagorie annoncée. Elle ne témoigne pas de l'amour, ne garantit pas la satisfaction.

Un vaste pan du ciel médiatique continue de propager des erreurs sur les prouesses sexuelles et sur les concepts de « masculin » et de « féminin ». Le héros classique se doit de « sauter huit femmes » (en une heure de visionnement !). « Les femmes cèdent après force manœuvres de séduction louvoyante et simulent des orgasmes pleins de hurlements[12]. »

L'homme normal, avec ses défaillances occasionnelles et ses pannes de désir, la femme réelle qui jouit dans le calme et le silence ou qui ne jouit pas, sont rarement présents. Culte de l'orgasme, simultané il va

---

12. Wells, H. M., *Le droit de votre enfant à la sexualité*, Paris, Presses de la Renaissance, 1977.

sans dire, et de la mécanique génitale qui renforce l'idée que la virilité tient à l'érection-minute et que les « vraies » femmes s'enlèvent comme des forteresses.

Cette insidieuse « éducation sexuelle » commence dès que votre enfant est en âge de « zapper », de feuilleter un magazine, de vadrouiller sur le Net. À la fin de leurs études secondaires, les jeunes auront passé devant leurs divers écrans quelque 600 heures de plus que ce qu'ils auront reçu d'heures d'enseignement. Et la consommation de vidéoclips et de pornographie compte pour une bonne part du temps passé devant la petite boîte magique. Nombreux sont les adolescents qui m'affirment consacrer une trentaine d'heures par semaine à cette activité. Il serait naïf de nier l'influence de ces images sur eux. Lorsque je leur demande combien de temps ils prennent, chaque semaine, pour bavarder avec leurs parents, la réponse tourne autour d'une trentaine de… minutes !

Les filles qu'on voit dans la pornographie et à la télé ont des corps parfaits, sont malicieuses et prêtes à séduire ou bien elles sont laides, ennuyeuses et bonasses. Les garçons ressemblent à des *terminators* en puissance. La relation amoureuse y relève de l'absolu et du fantasme et la sexualité, démesurément présente, y est associée à la violence et se déroule dans un univers pornographique.

L'éducation sexuelle, qu'elle soit scolaire ou familiale, a beaucoup à faire pour rivaliser avec ces messages emmagasinés par les jeunes, même à leur insu.

Outre ces attentes irréalistes créées par un affichage factice et surexposé de la sexualité, il y a tout le reste : les petites annonces suggérant la prostitution à domicile qui se multiplient dans les quotidiens, les studios de massage « spéciaux » et, la dernière perle, le cagibi érotique et « sans danger » où le client s'isole pour se masturber en regardant une danseuse se trémousser.

Les jeunes, plus malléables que les adultes, se font bombarder de messages contradictoires : pudiques, ludiques, merdiques. Le pape qui, du même souffle, dit non à toute sexualité hors procréation et hors mariage et qui refuse l'accès à l'avortement aux femmes et aux fillettes violées des pays en guerre ; la famille qui cherche sa voie en silence ; la cassette de l'éducation sexuelle scolaire coincée au chapitre « MTS, sida, contraception » ; les troupes vindicatives du droit à la vie qui fustigent l'avortement, commettent des crimes au nom du respect de la vie, tout en se taisant sur l'inceste, les viols et les abus qui assassinent les enfants à petit feu ; les personnages notoires qui font la une comme abuseurs non moins notoires ; le spectre du sida planant au-dessus de la béatitude sexuelle portée aux nues dans les « stéréoclips », et... je m'arrête.

Par ailleurs, il semble que la presse écrite s'applique à faire sa une des faits divers à caractère sexuel, accentuant ainsi le climat de panique : sida, viols collectifs, pédophilie, agressions d'enfants, avortements, harcèlement sexuel, crimes passionnels, maisons de débauche, services sexuels, etc. Le sexe fait vendre, c'est bien connu !

En 1988, pour préparer une conférence traitant de l'image de la sexualité projetée par les médias écrits, je m'étais « amusée » à éplucher les quotidiens québécois qui me tombaient sous la main. En 7 semaines, j'avais recueilli 97 coupures à connotation sexuelle ou sexologique : 75 se regroupaient sous le chapeau des malheurs sexuels (MTS, sida, agressions, exploitation...) ; une douzaine étaient neutres (découvertes médicales, éducation sexuelle...) ; les 10 dernières portaient sur des critiques ou des présentations de documents ou de publications érotiques. Aucun article ne relatait une « nouvelle » positive. Le même exercice repris aujourd'hui donnerait sans aucun doute des résultats tout aussi peu reluisants.

Pourtant, il y a des bonheurs liés à l'expression de la sexualité. On n'en parle jamais. L'histoire des choses et des gens heureux se raconte aussi. Je connais, dans mon entourage immédiat, au moins 50 personnes qui font tous les jours de l'*incitation à la décence.*

Un éducateur pris en *flagrant délit de sollicitation à la dignité humaine et sexuelle* pourrait-il faire la manchette ?

Quand verrons-nous les journalistes créer une épidémie de *BTS* (bonheur transmissible sexuellement) en rendant publics les nombreux cas de gens qui sont « contaminés » ?

Quand la presse médicale fera-t-elle état des cas des personnes âgées qui ont retrouvé la santé et l'intérêt pour la vie après avoir été frappées par la *STS* (santé transmissible sexuellement) ?

Quand relatera-t-on la sixième grossesse désirée de madame X au même titre que l'avortement contesté de madame Y ?

Et toutes ces belles situations de *consentements* sexuels ne pourraient-elles occuper une partie de l'espace accordé aux abus ?

À force d'étaler la déviance ou l'exception comme si elle était la norme, ne s'expose-t-on pas à ce qu'elle soit perçue comme telle et, pire, qu'elle s'installe dans les comportements et les attitudes ? Il me vient à l'esprit un article lu dans *The Globe and Mail* qui mentionnait que 80 %

environ des quelques centaines de collégiens interrogés avaient dit que « le viol dans un couple était quelque chose d'acceptable[13] ».

Que faire, en tant que parent, pour que ce vent ambiant ne pousse pas nos jeunes dans l'ornière de la difformité sexuelle ? Leur interdire l'accès aux médias ? Cela serait parfaitement irréaliste et exacerberait leur désir de s'en rapprocher. Les suivre dans leur foulée, régler notre pas sur leur allure et recourir aux propos médiatiques à bon escient ; exposer nos propres sentiments et opinions, attirer leur attention sur les distorsions et les corriger. L'impact des médias sera atténué par une éducation familiale positive conjuguée aux efforts de l'école qui tente de son côté de sensibiliser les jeunes aux stéréotypes sexuels.

Les campagnes de publicité des ministères de la Santé et des Services sociaux et de l'Éducation, les pressions des groupes pour que le sexisme et la violence soient éliminés des médias, les programmes d'éducation sexuelle et affective sont à encourager.

Quant à la presse officielle, si la lire vous met en « dépresse », écrivez-lui ! Avec persévérance. Incurable optimiste, je suis certaine qu'on peut transporter des montagnes, pierre par pierre, en faisant la chaîne.

UN BEAU RISQUE

Je voudrais rappeler, au terme de ce chapitre, que sexualité et éducation sexuelle ont ici un sens très large allant bien au-delà des dimensions génitale et reproductrice où on les confine trop souvent. Que la sexualité rejoint et englobe les aspects affectif, psychologique et culturel selon lesquels chacun se perçoit et agit comme garçon ou comme fille, comme homme ou comme femme. Que l'éducation sexuelle est conçue comme un service d'accompagnement de l'enfant : affirmation de son identité sexuée et sexuelle, apprentissage de sa masculinité ou de sa féminité, démarche d'autonomie et de responsabilisation, capacité de relations avec autrui et quête des valeurs qui orienteront ses choix et comportements. Que la sexualité dépasse encore les définitions ébauchées jusqu'ici, en « embrassant l'agir sexuel mais aussi l'identité sexuelle chromosomique jusqu'au

---

13. Sous toute réserve, citation de mémoire, *The Globe and Mail*, printemps 1988.

concept de soi chez l'homme ou la femme, se référant à tout ce qui est sexué chez l'être humain et dans la société ; que l'éducation sexuelle, bien qu'apparentée à la promotion de la santé, s'en distingue en ce qu'elle déborde largement le souci d'éviter les MTS, les grossesses accidentelles, les crimes et offenses ou les dysfonctions, sans toutefois exclure ces préoccupations[14] ».

Je sais, pour l'avoir entendu des centaines de fois de la bouche des parents, que ceux-ci craignent que trop d'informations sur la sexualité n'incite les enfants à entreprendre des expériences sexuelles précoces. Aucune recherche sérieuse n'a jamais établi de lien entre l'ignorance et l'entrée tardive dans la vie sexuelle active. Personne n'a jamais observé non plus l'existence de quelque relation que ce soit entre le « savoir » et le vécu sexuel précoce.

J'ai remarqué que les jeunes qui étaient bien renseignés et qui évoluaient dans un cercle familial ouvert au dialogue commençaient leur vie sexuelle active plus tard, plus librement et de manière plus responsable. Est-ce à dire qu'une saine éducation sexuelle permet de faire des choix mieux éclairés et amène le jeune à dire un vrai oui ou un vrai non ? Ou que l'agir sexuel devient moins attrayant quand on n'a pas le plaisir de transgresser l'interdit familial ?

La liberté sexuelle, c'est comme les pommes. Si vous déposez sur la table de votre salle à manger un beau panier rempli d'une grande variété de fruits succulents, les enfants en mangeront modérément ; il y a même de fortes possibilités qu'ils en laissent. Mais si vous cachez une pomme mystérieuse, dans laquelle vous ne voulez pas qu'ils croquent, il est à parier qu'ils la dévoreront en cachette ! L'archaïque paradigme du « fruit défendu » a franchi les siècles comme un marathonien invincible.

En contrepartie, j'ai trop souvent eu l'occasion d'aider des jeunes en détresse, venant de milieux mortellement silencieux en matière d'information et de dialogue sur la sexualité. L'un, victime d'inceste depuis sa toute petite enfance, devenu abuseur à 12 ans et complètement désabusé à 16. L'autre, enceinte à 14 ans, réclamant à grands cris un avortement un jour et jurant le lendemain que l'enfant qu'elle portait serait sa planche de salut !

Je ne multiplierai pas les exemples pathétiques ; j'en ai un grand tiroir triste qui occuperait tout l'espace de ce plaidoyer. Je déteste

14. Gaudreau, L., ouvr. cité.

jouer la carte des détracteurs de l'éducation sexuelle. Nonobstant ce fait, j'aimerais ouvrir une parenthèse concernant les pourfendeurs de l'éducation sexuelle scolaire qui la conçoivent, la décrivent et la dénoncent comme une incitation à la génitalité, comme un endoctrinement conduisant à une morale hédoniste.

> Je suis absolument opposé à toute initiation de ce genre en public pour des enfants en groupe. Notre erreur est la suivante et je l'estime grave ! C'est d'en faire un enseignement intellectuel, cérébral, un chapitre d'histoire naturelle, alors que l'éducation sexuelle est d'abord d'ordre moral et une éducation aux sentiments [...]. Ce qui intéresse l'enfant c'est beaucoup plus ce qui se passe en lui et dans son corps au moment de l'adolescence [...]; ce qui l'intéresse sont les désirs qu'il sent naître en lui, qui l'étonnent et qu'il ne comprend pas, qui le troublent et qui l'inquiètent. Et nous allons lui raconter des histoires d'accouplement et d'accouchement [...]; nous faisons fausse route à ne lui parler que d'anatomie et de physiologie [...]. L'amour chez l'homme ne se réduit pas au sexe [...]. C'est absurde, faux et malhonnête[15]!

Ces propos condamnent une forme d'éducation à la sexualité que tous les professionnels compétents en éducation sexuelle dénoncent aussi. L'éducation sexuelle a trop souvent été dispensée par des enseignants, non sexologues, qui avaient une vision strictement génitale, factuelle et descriptive de la sexualité. Les sexologues proposent une approche qui s'imbrique à l'ensemble de la réalité humaine. Pour eux, la sexualité n'est pas une fin en soi, mais une porte pour rejoindre la personne.

Il faut avoir chaussé ses testicules comme lunettes d'approche pour faire une lecture aussi réductrice de la sexualité, aussi limitée à la mécanique génitale et à la recherche d'un plaisir immédiat ! L'éducation sexuelle, que son ancrage soit familial ou scolaire, doit inclure l'éducation à l'amour, à l'affectivité, à la responsabilité et au respect. Et c'est justement parce que l'éducation sexuelle scolaire ne chemine pas toujours vers cette complémentarité que les parents ont intérêt à repenser l'éducation sexuelle et affective de leurs enfants. Il n'y a que des avantages à engager ce virage :

15. Chentrier, T., *L'éducation sexuelle en classe*, source non identifiée sur la copie de ce texte que m'a fait parvenir une enseignante de l'Est canadien.

- redécouvrir le plaisir et la satisfaction de faire confiance et de se faire confiance ;
- rétablir la naissance d'un dialogue qui ne soit pas un dialogue de sourds ;
- développer un plus grand potentiel de bonheur ;
- restaurer le sens de la fête envolé ;
- convier à la célébration de l'être humain ;
- donner le goût de la responsabilité sexuelle ;
- freiner l'escalade de la sexualité-malheur que nous connaissons actuellement ;
- devenir actif dans les changements que l'on souhaite.

En d'autres mots, est-il possible d'aggraver la situation ? Pourrions-nous craindre davantage pour nos enfants ? Entre vous et moi, y a-t-il un risque à s'engager auprès de nos enfants, avec honnêteté et souplesse, dans une éducation sexuelle renouvelée ?

Oui, un risque double : il ne sera plus possible de tout supporter, de tout digérer ; il ne sera plus possible de s'enfouir la tête dans le sable, comme l'autruche, pour éviter le péril.

Un vrai beau risque !

CHAPITRE 3

Le parent

On dit que les parents font les enfants. Il est tout aussi juste de dire que ce sont les enfants qui font les parents. N'est-ce pas l'enfant que j'ai eu qui a fait de moi une mère, un parent ? Je me rappelle un homme qui supportait si mal l'idée de propriété des enfants que, au lieu de dire « mon fils », il le présentait comme « l'enfant qui m'a permis d'être père ». En naissant, l'enfant crée le parent et il commence, dès lors, à renvoyer celui-ci à lui-même. À l'adolescence, ce jeu de miroir éveille dans le parent des sentiments confus et parfois contradictoires.

Ma fille, elle a toujours l'air d'avoir le temps. Elle bavarde des heures au téléphone en se colorant nonchalamment les ongles d'orteils, elle fait des ronds avec sa cigarette. Elle traînasse, dort jusqu'à midi, joue béatement sur l'ordinateur. Au fond, je l'envie de pouvoir prendre le temps de ne rien faire, rien produire. Ah !... m'arrêter comme ça, pour le plaisir... Ne rien faire... Un rêve.

Être parent, c'est l'histoire et la responsabilité d'une vie : pas question de retourner la marchandise. On fait de son mieux en avançant pas à pas. Être le meilleur est impossible ; le mieux à espérer, c'est d'être un parent « pas si mal ».

Comment apprend-on à être parent ? Comment étaient nos parents ? Qu'attendons-nous de notre conjoint dans l'éducation sexuelle des enfants ?

Nous ne savons pas quelle attitude adopter avec notre fils. Nous ne sommes pas d'accord l'un et l'autre sur ce qu'il faut faire avec lui. C'est devenu un sujet de discorde et de tension entre nous. Nous avons toujours eu des idées différentes. Ça devient plus aigu maintenant.

Pourquoi ne pas prendre le temps de faire le bilan de vos acquis et de vos intentions en matière d'éducation à la sexualité ?

- Qu'est-ce que j'ai reçu de mes parents comme message à propos de la sexualité ?
- Qu'est-ce que je veux transmettre à mes enfants ?

Prenez le temps de vous asseoir ensemble, de comparer votre bagage et vos visions respectives, de discuter de la manière dont vous souhaitez intervenir. Comme vous, vos parents n'étaient pas parfaits. Ils vous ont raconté des choses pas toujours vraies qu'ils avaient sans doute eux-mêmes apprises de leurs propres parents. Comparez les contre-vérités que vous avez reçues de votre milieu familial. Des exemples ? La femme n'a pas de besoins sexuels, la masturbation est malsaine...

Demandez-vous quelles informations, attitudes et valeurs vous désirez transmettre. À quoi êtes-vous prêt à renoncer ? Comment y renoncerez-vous ?

Vous avez le sentiment d'avoir été maladroit, indiscret ou indélicat, d'avoir porté un jugement sévère sur tel comportement de votre enfant, d'avoir réagi avec excès devant telle attitude de votre adolescent ? Et puis après ? Pas de « superparent » ici-bas. Le mieux à faire est de lui exposer les causes de votre réaction comme vous vous l'expliquez à vous-même. Se confondre en excuses ne fait rien avancer ; se laisser assaillir par le sentiment de culpabilité est stérile. Devant la haute performance exigée des parents ces dernières années, beaucoup se culpabilisent sans cesse, après un virage dans leur méthode éducative, ou à propos de tout et de rien. Cette attitude n'inspire aucun respect aux adolescents pour qui la culpabilité n'est pas un sentiment méritoire. Ce sont nos divisions intérieures, nos contradictions internes qui contrecarrent l'émergence d'une autorité clairvoyante et tolérante.

UN ANCIEN ENFANT

Certaines images de notre petite enfance sont limpides, d'autres sont floues, la plupart sont complètement voilées. Ces dernières ont néanmoins laissé des traces.

Je ne vous apprends rien en vous disant que chaque personne est la somme de ses expériences, que sommeillent en elle le petit diable ou l'adolescent modèle qu'elle fut. Ils occupent notre jardin intérieur et sortent parfois prendre l'air, taquinant notre moi-adulte, agaçant notre moi-parent. Toute la théorie de l'analyse transactionnelle se fonde sur ce substrat[16].

Le père et la mère sont d'anciens enfants qui peuvent encore, à 30, 40 ou 50 ans, livrer des fragments de leur enfance et de leur adolescence de multiples façons.

Ce que vous avez été intéresse votre enfant. Je pense à ce genre de questions formulées d'une manière si charmante par un jeune enfant à son père de 35 ans :

Dans l'ancien temps, quand tu étais petit comme moi, avais-tu une amoureuse, toi ?
L'as-tu déjà embrassée ?
Voulais-tu la marier ?
Est-ce que c'était maman ? Jouais-tu au hockey ?
Étais-tu fort comme moi ? ...

Les enfants sont touchés par nos récits de jeunesse, par les émotions, les aventures, les petites bêtises qui l'ont jalonnée. Les adolescents ont besoin de connaître les membres qui composent la famille où ils ont leur place, ce qu'ils ont été, comment ils s'en sont tirés...

16. La théorie de l'analyse transactionnelle a été mise au point par Éric Berne ; elle fut appliquée et développée par de nombreux pédagogues et thérapeutes.

Comment ma mère a-t-elle traversé sa puberté ?
L'adolescence de mon père a-t-elle été cool *ou tourmentée ?*
Se sentait-il, se sentait-elle comme moi ?
Que reprochaient-ils à leurs parents ?...

Pourquoi ne pas leur parler de tout cela? Même si les choses ne se sont pas très bien passées pour vous. Il n'est pas désastreux d'avoir eu une enfance ou une adolescence opposée au long fleuve tranquille, d'avoir eu des rapports familiaux difficiles. Bien au contraire, vous pouvez témoigner que, malgré les conflits, la vie a continué et continuera. Tout le monde, adultes comme jeunes, adore les histoires vraies (ou à peine romancées). Il suffit de voir l'attrait exercé par les films ou les publications qui affichent « tiré d'un fait réel ». L'objectif est de partager son passé sans, bien sûr, livrer ce que nous jugeons ne pas devoir dévoiler. Se souvenir qu'on a été soi-même adolescent permet d'être plus compréhensif et de mieux se concerter entre parents.

Vous souvenez-vous de ces nuits où vous rentriez à trois heures du matin ? Que votre père était furieux alors que votre mère passait l'éponge ? Vous pouviez louvoyer entre eux et profiter de l'incohérence de l'un et de la faiblesse de l'autre.

Se souvenir, se parler, s'accorder entre conjoints. Si le parent ne doit pas exercer un pouvoir abusif sur le jeune, il ne peut, à l'inverse, en subir l'ascendant. Cela vaut tout autant dans un contexte familial où le conjoint n'est pas le parent biologique de l'enfant.

UN ÊTRE SEXUEL ET AFFECTIF

Derrière le parent, il y a un homme, une femme. Avec son âge, son passé, sa famille, ses idées, ses désirs, ses frustrations ; marié ou non, seul ou en couple, travaillant à l'extérieur ou à la maison, satisfait ou non de son boulot, de sa place en société, de son projet de couple, de sa vie conjugale.

S'accepter comme homme ou comme femme, accepter son sexe, c'est savoir composer avec les différences et les ressemblances de la *rencontre*, c'est s'ouvrir aux divergences et aux similitudes avec les êtres qui ont fait de soi un parent. La personnalité de l'homme ou de la femme, la qualité relationnelle établie avec le conjoint marqueront plus les enfants que tout ce qui sera dit ou non dit. Comme par osmose s'inscriront en l'enfant les caractères féminin et masculin, la figure d'un couple, l'affectivité et l'amour.

Pourtant, il y a chez l'enfant une négation de la sexualité des parents. Serait-elle engendrée par le refus des parents de la sexualité des jeunes ? Dans le but de situer la perception qu'ils ont de leurs parents, il m'arrive de leur demander : « Est-ce que vos parents font l'amour ? » Chaque fois, cette question me vaut d'être toisée d'un œil mi-figue mi-raisin, avec un certain ahurissement, comme si j'étais une parfaite imbécile. Parce que la réponse positive va de soi, croyez-vous ? Désolée de vous décevoir.

Bien... J'sais pas trop. Ça ne doit pas, ils sont pas mal vieux, ils ont 40 ans ! (Et vlan !)

En 1986, on posait la question suivante à un groupe d'adolescents de 14 à 17 ans : « Aurez-vous le goût de faire l'amour à 30 ans, à 50 ans[17] ? » Réponse spontanée : « Non ou beaucoup moins ». À 30 ans, le désir serait « faible » ; à 50, il serait « presque absent » !

En réalité, il n'y a pas lieu d'être étonné. N'avons-nous pas, nous-mêmes, une certaine résistance à reconnaître que nos parents de 60 ou 70 ans ont toujours des besoins affectifs et sexuels ? Comme si le sceau « Parent » asexuait et désexualisait l'individu. Et puis, il y a le message ambiant et omniprésent, et la sempiternelle image d'une sexualité réservée à la jeunesse, belle, pétante de santé, bronzée, riche et sportive...

Par ailleurs, les parents sont bien cachottiers sur cet aspect de leur vie. Je ne favorise pas le dialogue complaisant et exhibitionniste sur leur intimité sexuelle, de laquelle, d'ailleurs, l'enfant s'exclut lui-même. Toutefois, j'estime que les enfants dont les parents s'embrassent, s'enlacent et se touchent affectueusement reçoivent des « vibrations » chaleureuses. Ils emmagasinent des images de douceur et de tendresse physique qu'ils reproduiront.

Le tout-petit, devant l'affection manifeste de sa mère pour son conjoint, peut exprimer une certaine jalousie. C'est bien qu'il l'exprime, et mieux encore si on lui explique :

---

17. Dupras A. et autres, *Jeunesse et sexualité*, actes du colloque, Montréal, Iris, 1986, p. 613.

Je t'aime beaucoup. En tant que mère, tu es la personne la plus importante au monde pour moi. Mais en tant que femme, tu ne me suffis pas.

Cela vous paraît dur ? Le message est clair, précis et ouvert sur la vie. L'enfant se retrouve devant une vérité qui le charme :

> Tiens ! Quand on est grand, on désire autre chose que quand on est petit. Ma mère se dérobe à moi pour quelque chose qui lui fait plus plaisir... Devenons grand : ça vaut le coup[18] !

En règle générale, les parents ne se gênent pas pour dire à leur progéniture qu'ils ont besoin d'être seuls pour toutes sortes de raisons. « J'aimerais être tranquille pour terminer cette lecture ; je souhaite bavarder seule avec mon amie... » Pourquoi ne pas adopter la même attitude pour vos moments d'intimité ? Un parent peut dire : « Nous voulons faire l'amour en paix » ou « Nous voulons nous reposer » si cette dernière formulation vous est plus facile à énoncer. L'enfant comprendra.

Le fait que les parents soient des êtres sexués et sexuels entraîne à l'occasion des situations angoissantes. Il peut arriver qu'un parent réagisse sexuellement devant son enfant. À maintes reprises, des mères et des pères m'ont exprimé leur désarroi devant semblable manifestation. Qu'en est-il ?

Prenons l'allaitement. Toute stimulation du sein, en particulier du mamelon, quelle qu'en soit l'origine, de la chaleur du soleil à la caresse de l'amant, peut déclencher une excitation sexuelle. Certaines femmes qui allaitent disent ressentir une excitation pelvienne ou une lubrification vaginale ; d'autres éprouveraient une sorte d'orgasme. Plusieurs sont convaincues d'avoir commis une atrocité.

Aucun ordinateur interne ne supervise nos réactions physiologiques. Une réaction sexuelle involontaire n'est en soi ni saine ni malsaine. C'est son dénouement qui peut s'avérer pernicieux : comment elle est traduite, quelle conduite elle nous suggère... La frontière à ne pas franchir se situe entre la réaction spontanée et le comportement de séduction parent-enfant qui, lui, est contrôlable.

Si vous faites partie de cette moitié des êtres humains dont la vie sexuelle et affective est épanouie, bravo pour vous et pour vos enfants.

18. Dolto, F., « Information et éducation sexuelle », *Parents et maîtres*, 1973, citée dans *L'échec scolaire*, Paris, Ergo Press, 1989, p. 109.

Mais si vous êtes du côté des adultes dont la vie sexuelle est malheureuse, il faut vous interroger sur la façon dont vous avez appris la sexualité et veiller à ce que l'histoire ne se répète pas. Quant aux incidents embarrassants, rendons-nous à l'évidence que la nature ne nous a pas façonnés pour ne réagir sexuellement que devant des étrangers, de notre âge, de l'autre sexe, etc. Par bonheur, l'être humain n'est pas captif de la nature. Il se distingue des autres espèces par son jugement, sa conscience, son libre arbitre et sa moralité.

UN ACCOMPAGNATEUR PLUTÔT QU'UN CENSEUR

La jeunesse a besoin d'être accompagnée. Dans le mot « accompagner » il y a un mouvement, l'idée de *se joindre à* pour avancer *avec*. Je chéris ce terme d'*accompagnateur* dont le sens est moins unilatéral que celui d'*enseignant* ou d'*éducateur*, et plus proche des principes de l'éducation sexuelle. Il y a derrière ce mot une musicalité (on accompagne au violon...), un pressentiment de partage (qui m'accompagne au théâtre ?...), un plaisir anticipé (la crème accompagne les fraises à merveille...).

Être accompagnateur, c'est aussi être un guide qui montre des chemins, qui met en garde contre des embûches et qui accepte que l'accompagné s'engage dans le sentier de son choix en toute connaissance de cause. C'est aussi expliquer et réexpliquer...

Accompagner, c'est savoir écouter avant de prendre position. Cela ne veut pas dire tout permettre ou tout tolérer. Un trop grand laxisme sera perçu par l'adolescent comme un manque d'intérêt ou, pire, comme une capitulation de la part du parent.

Une fois que vous leur aurez dit ce que vous craignez pour eux (la souffrance, les chagrins d'amour, la maladie ou une grossesse involontaire...), que vous aurez reconnu qu'il n'y a pas d'âge pour l'amour, puisque l'amour est une quête permanente sans assurance totale pour l'avenir, faites-leur confiance.

Accompagner, c'est accepter que le bonheur de son enfant puisse suivre un autre modèle que celui que l'on porte en soi, sans renier ses propres principes. Cela ne veut pas dire être le compagnon fidèle ou l'ami indéfectible. Le dialogue amical, d'égal à égal, possible en certaines circonstances, devient un leurre à d'autres moments : le jeune attend de ses parents des réponses de parents et compte sur leur disponibilité lorsqu'il en a besoin.

Bien que les notions de liberté et de consentement se cachent derrière le concept d'accompagnement, nous sommes désarmés devant la soif de vivre de nos adolescents. La liberté ne peut être mauvaise en soi. Elle peut certes s'avérer plus difficile à vivre qu'un ensemble de règles rigides, mais aussi combien plus féconde ! Féconde et gênante aussi pour le parent qu'elle met en face de sa propre liberté ou... captivité. N'avons-nous pas un peu peur de notre propre liberté ? Celle de nos enfants nous embêterait moins et nous serions en mesure de les y préparer si nous domestiquions nos craintes personnelles.

DES FIGURES MATERNELLES ET PATERNELLES DÈS LA GARDERIE !

Je voudrais aussi attirer l'attention sur l'importance des substituts parentaux. Je ne parle pas des gardiennes et des gardiens occasionnels, mais de ceux et celles qui sont présents assidûment auprès des enfants. Je pense notamment aux garderies et aux centres de la petite enfance où les figures masculines sont quasi absentes.

La présence et l'engagement d'hommes dans les milieux préscolaires devraient nous préoccuper au même titre que le droit des femmes à intégrer les professions traditionnellement réservées aux hommes. Il suffit de faire un saut dans une garderie où travaille un représentant masculin pour saisir tout le prestige dont l'investissent les tout-petits et pour constater l'impact positif, structurant et constitutif que cette présence exerce sur la fillette ou le garçon en mal de « père ». Ses collègues féminines vous diraient que c'est à les faire pâlir de jalousie.

L'emploi d'éducateur auprès de la petite enfance attire peu d'hommes. Parce qu'il est sous-payé, sous-estimé et, force est de le reconnaître, en raison d'une récente paranoïa sociale qui fait craindre aux candidats intéressés d'être soupçonnés de pédophilie. Les courageux qui exercent leur vocation admettent ne plus savoir comment se comporter avec les enfants ni comment leur témoigner de l'affection, tellement ils sont embarrassés par cette ombrageuse suspicion.

J'encourage les parents à exercer des pressions pour que soit valorisée cette profession qui devrait être l'une des mieux rémunérées et des plus valorisées de notre société. À l'âge où le garçon et la fille se construisent à partir des modèles masculins et féminins, ils sont trop nombreux sans papa dans leur existence, et plus nombreux encore à ne connaître que le papa-gâteau du dimanche.

S'ENGAGER DIFFÉREMMENT PLUTÔT QUE DAVANTAGE

Une redite : l'heure n'est plus à la quantité d'informations sexuelles à donner aux enfants ; elle est à la qualité de notre attitude éducative. Comme un athlète, le parent s'arc-boute sur la perche souple de la confiance et de la transparence.

Chaque parent a ses limites, qu'il énonce le plus clairement possible. Des limites arbitraires puisque subjectives et renégociables au fil du temps. L'arbitraire évoluera d'autant qu'il s'exprimera.

> Besoin pour le parent de protéger sa propre liberté, son espace vital, ses valeurs... sa réputation.
> Ou, à l'inverse, désir de vivre à travers son enfant ce qu'on n'a pas vécu soi-même[19].

Notre vraie personne, avec ses aspects attachants et ses versants moins sympathiques, ses désirs enfouis, ses désillusions, ses faiblesses, nos enfants la connaissent-ils ? Se peut-il que nous osions rarement nous présenter à eux tels que nous sommes parce que nous ne cessons pas de nous critiquer, de nous juger nous-mêmes ?

Osons la confiance puisque la non-confiance est un risque plus grand encore et que tout choix comporte sa part d'imprévu et d'imprévisible.

- C'est quoi la confiance ?
- Quand je doute, qu'est-ce que je fais ?
- Je ferme les yeux ou je vais aux sources ?
- Comment restaurer la confiance envolée ?...

La confiance est la condition *sine qua non* du développement harmonieux de l'enfant. Elle évoque aussi l'apprentissage d'un mouvement continu pour l'adulte. Faire confiance, c'est renoncer parfois à une certaine partie de ses exigences pour gagner en vie commune et en partage. Faire confiance à l'aptitude du jeune à apprendre et à grandir, c'est lui permettre de fixer ses propres limites ; il les respectera puisqu'elles viennent de lui, dans le domaine de la sexualité comme dans les autres sphères de sa vie. Pas de feu rouge sans feu vert.

---

19. Centre national d'aide à la jeunesse (CNAJ), *Parents et adolescents, une relation à inventer*, Bruxelles, Prospective jeunesse, 1988, p. 40.

Le parent a reçu tel type d'éducation sexuelle. Il a ses principes et ses opinions sur le sujet. Et il y a toutes ces autres idées qui circulent. Il regarde aller son enfant et ne peut éviter le regard des autres, leurs critiques. Il le voit grandir, devenir adolescent au sein d'une société qui tient des discours multiples et inégaux sur la jeunesse et sur la sexualité et qui propose des modèles. L'air du temps charrie des idées...

Au-delà d'une attitude sexuelle saine, ce que vous pouvez lui transmettre de plus précieux, c'est cette connaissance qu'il existe une pluralité de mondes. L'un de ces mondes est celui du privé. Point n'est besoin d'être double ou multiple pour circuler dans les autres mondes: il s'agit d'y être soi-même tout en respectant les règles et les principes d'autrui.

Très tôt, l'enfant saisira les différences entre les familles. Il saura, dès quatre ou cinq ans, que les mots les plus justes gênent certaines personnes et ne les utilisera pas devant elles (ou au contraire les hurlera, momentanément, pour provoquer). Il aura néanmoins besoin d'être aidé dans sa compréhension de cette diversité.

À six ou huit ans, si vos enfants se baignent nus dans la piscine familiale, ils doivent être avertis qu'ils ne peuvent en faire autant chez X ou Y, si cela peut choquer leur bienséance, que ni l'un ni l'autre des comportements n'est répréhensible, qu'il existe dans la vie des convenances sociales diverses à respecter.

S'engager différemment auprès de ses rejetons, avec confiance, transparence et cohérence, devant ce qui est extérieur à la famille. Avoir l'oreille en forme de cœur.

LE « SAVOIR-ÊTRE » VAUT MIEUX QUE LE SAVOIR

Le savoir est « un ensemble de connaissances acquises par une activité mentale ».

Le savoir-faire correspond à une « habileté dans l'exercice d'une activité ».

Le savoir-vivre réfère aux « règles de la politesse et à l'éducation ».

Le « savoir-être » n'apparaît pas dans les dictionnaires. Mais les mots et les locutions sont souvent lexicalisés longtemps après les réalités qu'elles sous-tendent.

Pensons au mot *sexisme*, inventé vers 1965, alors que les faits et gestes qu'il désigne foisonnaient depuis des lustres. Le « savoir-être » est encore à inventer. *A fortiori* dans le domaine de la sexualité et de l'éducation sexuelle.

L'enfant ou l'adolescent a besoin de trouver en ses parents deux personnes qui s'écoutent l'une l'autre malgré leurs différences et qui l'écoutent lui ou elle malgré les années qui les séparent. L'éducation sexuelle est une question complexe de respect et de confiance, en soi et en l'enfant. Elle met en scène une mère différente, un père différent, des enfants différents et des manières différentes de sentir la vie et de vivre ensemble. Elle interpelle la manière d'être et le savoir. Savoir *être soi-même* et savoir *être avec*.

Il m'est difficile de traduire l'idée que je me suis faite du « savoir-être » en ce qui concerne l'éducation sexuelle familiale. En guise de transition, entre cette première partie et la suivante où nous nous efforcerons de préciser ce que nous avons vu à travers le cheminement chronologique de l'enfant, je me hasarderai à l'illustrer par une parabole. J'adore les histoires...

Le parent-jardinier

Le parent attendu est comme jardinier.
Il a son lopin privé qu'il est seul à cultiver.
Il y sème des graines qui se disperseront, vivaces,
dans le terroir voisin, propriété de l'enfant.
Les graines y germeront doucement, sous les
auspices de son jeune propriétaire, apprenti jardinier.
Le jardinier n'est pas pressé.
Il n'est pas, non plus, imbu de son savoir.
Il ne passe pas son temps à dire à l'apprenti :
« quand tu auras mon âge...
quand tu auras mon expérience... »
Ce qui dégoûterait l'arpète de jamais devenir
jardinier, le découragerait de soigner son jardin en le
désherbant et le bien traitant...
Le jardinier sait que ses semailles posées
dans un autre sol peuvent engendrer
des espèces nouvelles.
Et il se réjouira autant d'une floraison aux couleurs
dissemblables que d'une éclosion de fleurs similaires
aux siennes.
Le jardinier sait qu'il ne sait pas.

Et le parent-jardinier est tour à tour parole ou silence, sachant qu'il est des domaines qui lui sont propres et qui ne concernent pas l'apprenti jardinier, sachant qu'il est des territoires privés que l'apprenti jardinier désire lui aussi protéger.

DEUXIÈME PARTIE

Enfance, adolescence et sexualité

Vos enfants ne sont pas vos enfants. Ils sont les fils et les filles de l'appel de la Vie à elle-même. Et bien qu'ils soient avec vous, ils ne vous appartiennent pas. Vous pouvez leur donner votre amour mais non point vos pensées, car ils ont leurs propres pensées. Vous pouvez accueillir leurs corps mais pas leurs âmes, car leurs âmes habitent la maison de demain que vous ne pouvez visiter, pas même dans vos rêves. Vous pouvez vous efforcer d'être comme eux mais ne tentez pas de les faire comme vous. Car la vie ne va pas en arrière ni ne s'attarde avec hier. Vous êtes les arcs par qui vos enfants, comme des flèches vivantes, sont projetés [...]. Que votre tension, par la main de l'Archer, soit pour la joie.

KHALIL GIBRAN
Le prophète

CHAPITRE 4

La petite enfance : de zéro à six ans

> *L'enfant devrait être informé, dès son plus jeune âge, de la différence sexuelle et de l'interdit fondamental de l'inceste ; plus l'approche de ces données se fait tardive, moins il est facile pour le jeune de les appréhender dans la réalité.*
> *Quoi qu'il en soit, tardive ou faite à temps, l'information doit toujours viser à l'éveil d'une fierté, une fierté d'être et de grandir, qui ne va pas sans un détachement des liens primitifs.*
>
> FRANÇOISE DOLTO
> *Parents et maîtres*

LA FORMATION DE L'IDENTITÉ SEXUELLE

L'identité sexuelle n'est pas palpable. Elle correspond au sentiment intrapsychique d'appartenance à un groupe sexué, celui des hommes quand on est un garçon, celui des femmes quand on est une fille. Cette conscience se reflète dans les rôles sexuels, l'intérêt pour la sexualité et les comportements : c'est la fierté d'être une fille ou un garçon.

L'identification est un processus qui s'amorce dès la naissance et par lequel l'enfant intègre à sa personnalité les caractéristiques de son sexe définies par sa famille et son milieu. La différenciation sexuelle s'ébauche dès la conception et se poursuit avec le regard des parents. Aussitôt né, le bébé apprend par le geste, la voix, le choix des jouets et des vêtements à quel sexe il appartient. Comme si le sexe du tout-petit dictait aux adultes le programme à suivre pour l'étiqueter et l'éduquer. Autour de 18 mois, dès que l'enfant est en mesure de percevoir ses organes génitaux, de se désigner comme garçon ou fille, de distinguer les différences fondamentales entre les sexes, il commence à embrasser une identité sexuelle.

Vers deux ou trois ans, bien qu'il soit capable de poser la bonne étiquette sur son sexe et celui des autres, il peut manifester de l'instabilité. Par exemple, le petit garçon peut s'imaginer qu'à un certain moment il deviendra une fille. À mesure que l'enfant assimile les comportements qu'on attend de lui, en adoptant les caractéristiques féminines ou masculines, se développe l'identification au rôle sexuel. Ce n'est qu'entre trois et cinq ans qu'il prendra conscience que le sexe anatomique est permanent. Vers cinq ou six ans, il ressentira, si tout se passe bien, un fort sentiment d'appartenance à son sexe.

L'entourage ne prend vraiment conscience de cet apprentissage que lorsqu'il est problématique. Quand s'inquiéter ? Lorsque l'enfant nie systématiquement et de manière constante son sexe biologique ; quand il est si foncièrement convaincu d'appartenir à l'autre sexe qu'il ne peut se projeter dans l'avenir autrement que dans un corps sexué qui n'est pas le sien ; lorsqu'il persiste à adopter exclusivement les fonctions et les rôles dévolus à l'autre sexe.

Les graves désordres de l'identité sont exceptionnels. Il ne faut pas confondre l'intérêt légitime d'une petite fille pour les jeux de pouvoir ou l'attrait d'un petit garçon pour l'art culinaire avec des troubles d'identité. Nombre de fillettes s'identifient tour à tour à la Belle au bois dormant et à Hercule. Elles veulent la féminité et la force ! Chaque enfant a le droit au pouvoir ou le droit à la sensibilité sans pour autant vouloir appartenir à l'autre sexe.

Je me souviens avoir moi-même sauvagement fracassé contre le mur une poussette rose et une insignifiante poupée reçues pour mon cinquième anniversaire. J'attendais fébrilement le tricycle rouge que j'avais commandé et dont je rêvais tous les soirs en m'endormant. Je me voyais, dévalant les trottoirs, explorant les ruelles, gagnant des courses... Et voilà qu'on m'imposait de pousser béatement un landau ridicule !

Troubles de l'identité ? Pas du tout. Refus d'un jeu qui ne correspondait nullement à ma soif d'aventures et à mon besoin de me dépenser physiquement !

Le père et la mère sont des miroirs structurants dans lesquels l'enfant perçoit sa différence avec l'un et sa ressemblance avec l'autre. Les deux parents confortent son identité sexuelle en utilisant un langage qui valorise son être sexué, en lui transmettant ce message inconscient : « Il est bon que tu sois ce que tu es. »

LES TROIS GRANDES ÉTAPES DU DÉVELOPPEMENT PSYCHOSEXUEL

On peut situer trois grands moments dans la croissance de l'enfant, de sa naissance jusqu'à l'âge scolaire, vers six ou sept ans.

De 0 à 15 mois : une petite boule de sensualité

Chez le nouveau-né, la bouche est la zone de prédilection. L'exploration première de son environnement se fait par les lèvres, la langue et la bouche qui composent une zone très sensible. Tous les objets sont d'abord découverts et explorés par la voie orale.

Quand le bébé tète le biberon ou le sein, l'action même de sucer procure du plaisir et ajoute au sentiment d'être rassasié, satisfait. Regardez le bébé qui commence à manger seul : à l'aide de ses doigts, il sape, lèche, lape. Plaisirs de la petite enfance auxquels il faut bien vite renoncer…

La bouche demeure un organe de plaisir et d'érotisme tout au long de la vie, à des degrés variant selon les individus.

Au fil de sa croissance, l'enfant expérimentera son corps sensuellement et sensoriellement. Se toucher ou être touché affectueusement est bon et procure du plaisir. Tout ce que le nouveau-né est encore incapable d'assembler dans son esprit, il l'apprend par l'intermédiaire des sens : il sait distinguer les soins tendrement prodigués de ceux donnés expéditivement et sans douceur. De cette interaction avec son entourage émerge sa personnalité propre.

Les bébés ont des réactions génitales : érection chez le garçon et lubrification vaginale chez la fille.

Sexualité, sensualité et sensorialité sont interreliées chez tous les êtres humains durant toute la vie. Pour le tout-petit, aucune partie du corps n'est taboue. Son corps réagit à l'eau, au vent, à la chaleur, aux caresses, à la douceur de son ourson en peluche…

De 15 mois à 2 ½ ans: un tyran sympathique

Avec l'initiation à la propreté, on assiste au déplacement de la zone privilégiée de la bouche vers l'anus. L'entraînement à la propreté est caractérisé par deux mouvements: se retenir ou se laisser aller. En devenant maître de ses muscles sphinctériens (ô merveille! pour le parent), l'enfant exerce pour la première fois un certain contrôle sur son environnement (ô merveille! pour l'enfant). Un dialogue subtil s'établit entre celui-ci et la figure parentale.

Je te ferai plaisir en poussant au bon moment!
Je te contrarierai en me retenant pour voir la tête que tu feras!

Le relâchement d'une tension provoque un plaisir et l'enfant s'accorde cette joie au moment de son choix, au grand désespoir du parent. La réaction parentale devant les fonctions corporelles de l'enfant déterminera si cet apprentissage deviendra ou non le lieu d'un rapport de force entre les parties. Souvenez-vous que, pour le petit tyran, tout ce qu'il produit est beau et bon. C'est ce que lui ont communiqué vos extases depuis sa naissance.

Un après-midi, j'entends Véronique s'agiter après sa sieste.

Je vais pour la chercher et je m'arrête net!

Elle avait barbouillé le mur et les barreaux de son lit, son ours polaire était devenu une sorte d'hybride tacheté... Le matelas, les draps, tout maculés. Elle en avait plein les bras et la figure, et s'en faisait un shampoing...

J'étais dégoûtée à la pensée de nettoyer tout ça.

L'espace d'un instant, je me suis demandé comment j'avais pu mettre au monde ce « cochonnet ».

Et puis, j'ai vu son visage: un air radieux, des yeux comme des étoiles, si fiers, qui me disaient: « Tu as vu comme c'est beau, hein? De l'art baroque! »

Tout ce que je peux dire, c'est que ma fureur s'est envolée, et j'ai éclaté d'un rire attendri. Je l'ai prise dans mes bras, je l'ai serrée très fort et... je me suis précipitée, avec elle, dans la baignoire.

Elle n'a plus recommencé. La durée du bain l'avait sans doute... dégoûtée.

L'autonomie de l'enfant doit être reconnue et valorisée par le biais du phénomène de l'initiation à la propreté. Et, comme le dit Dolto, si on le laisse dire NON, il saura mieux dire OUI un jour.

Cette phase de l'apprentissage de la propreté coïncide avec l'apparition du langage. L'enfant prend plaisir à identifier toutes les parties de son corps : yeux, nez, oreilles, jambes, fesses… Si on n'exclut pas ses organes génitaux du reste de sa personne, il intégrera sa dimension sexuelle à sa globalité humaine.

Les mots exacts pour nommer les organes génitaux s'apprennent aussi facilement que leurs équivalents plus colorés comme « zizi », « quéquette », « bitte », « bizoune », « chatte », « tirelire » ou que leurs substituts plus confus comme « pipi », qui mêle dans l'esprit du tout-petit l'organe excréteur avec l'excrétion elle-même. Quant aux expressions carrément péjoratives, avilissantes ou agressives comme « trou », « bâton », elles sont à proscrire.

Il ne s'agit pas de dénigrer les métaphores qu'utilise l'enfant et qui insufflent à la sexualité une valeur poétique. Il s'agit de se donner, dès le départ, un langage commun et correct.

De deux ans et demi à six ans : un inlassable découvreur

C'est le moment où l'intérêt de l'enfant pour les fonctions anales perd du terrain au profit de la découverte de sa génitalité. Tout ce qui concerne l'enfant l'intéresse, et l'exploration de ses organes génitaux, en tant que partie de son corps qui le différencie de l'autre sexe, témoigne de sa curiosité naturelle.

Fasciné de grandir, de connaître, d'expérimenter, il se préoccupe de sa naissance, est heureux d'enrichir son vocabulaire, se renforce dans son identité sexuelle en adoptant des rôles et des jeux qui l'épanouissent.

Le développement psychosexuel de l'enfant de cet âge se caractérise par un foisonnement de manifestations de tout ordre. Aussi me contenterai-je ici de cette idée générale qui sera étoffée et explicitée un peu plus loin.

UNE HISTOIRE D'AMOUR ET DE CROISSANCE

La sexualité du jeune enfant, c'est une histoire d'amour, de croissance, de découvertes, de beauté, de rires et de ricanements, de plaisir et de « chatouillements »…

Je vois d'ici que vous ne trouvez pas très scientifique la définition proposée. C'est néanmoins ma compréhension première de l'expression sexuelle enfantine.

C'est aussi une composante du développement de sa personne, imbriquée, plus encore que chez l'adulte, à ses besoins affectifs, à sa sensualité. L'apprentissage de la sexualité fait partie du processus d'autonomie amorcé dès la naissance, au même titre que tous les autres apprentissages.

Le tout-petit explore. Avec la bouche d'abord et avec les mains ensuite. Quoi de plus normal? La main est faite pour toucher, palper, caresser. Mais la sienne explore tout: la grosse verrue sur le nez du voisin, la belle peinture rouge destinée aux volets et, pourquoi pas, ses organes génitaux?

À compter de deux ou trois ans, tout son développement sera essentiellement caractérisé par la curiosité, l'imitation et la spontanéité.

Curiosité, imitation, spontanéité

Son insatiable curiosité le porte à s'examiner de très près; il prendra conscience, en touchant ses organes génitaux, que cette région de son corps est particulièrement sensible. En frottant ses organes sexuels, la petite fille ou le petit garçon ressent du plaisir, variable en intensité. Purement sensuel chez l'un, ce plaisir aura une fonction de détente et d'apaisement chez l'autre. Passionné de savoir, l'enfant se préoccupe de ses origines.

D'où je viens?
Comment je suis arrivé là?
Qu'est-ce que papa a à voir là-dedans?

Et il imite. Tout: le facteur, l'agente de police, le lutteur, la pompiste... Il joue au papa et à la maman, à être amoureux et, bien sûr, au docteur. Il assimile le langage entendu et le reproduit.

La période de deux à six ou sept ans est cruciale quant à la formation d'une identité sexuelle saine et solide, alors, attention au langage qui vient subtilement enrichir ou appauvrir la perception que l'enfant a de lui-même comme garçon ou comme fille.

L'enfant n'est pas un adulte miniature. Son intérêt sexuel s'exprime spontanément. Et la récréation corporelle, pour ne pas dire génitale, s'intégrera accidentellement, accessoirement, dans le jeu.

La fillette de cinq ans ne décide pas au saut du lit : « Cet après-midi je vais jouer à faire l'amour avec le petit voisin ! »

Le jeu sexuel « survient ». Quand l'enfant joue au docteur, l'auscultation ou le remède imaginaire est aussi important que le moment où il baisse sa culotte. L'enfant est tout à son jeu, dans toutes les étapes que celui-ci comporte.

Ne l'oublions pas : en matière d'activités sexuelles, planification et organisation sont des données d'adulte.

BESOINS ET EXPRESSION

Même chez le nourrisson, l'émoi sensuel peut se transformer en plaisir généralisé et sexuel. Certains bébés semblent ressentir une extase comparable, dans ses manifestations, à l'orgasme. Plusieurs mères ont observé ces réactions durant la tétée.

Le rythme du cœur s'accélère, les yeux se voilent, le ronflement respiratoire s'altère, la peau rosit et se couvre d'une fine couche de sueur, un frisson parcourt le petit corps et bébé s'arrête de téter.

Vers un an, parfois plus tôt, plus tard ou jamais, lorsque bébé a bien sondé son nez, ses oreilles, ses cheveux et ses orteils, il est possible qu'il s'aperçoive que le contact de ses mains avec ses organes génitaux est source d'agréables sensations. Il peut découvrir aussi que le jouet en peluche est bien doux (ou que l'utilisation de ce substitut échappe à l'attention des parents...), que le balancement d'avant en arrière sur un objet rebondi ne lui est pas désagréable.

Une dame me racontait que sa petite-fille d'un an et demi avait découvert que la sangle de la chaise d'enfant, destinée à la maintenir en place, pouvait avoir une tout autre fonction...

Enfin, à compter de deux ou trois ans, l'enfant expérimente des comportements sexuels diversifiés.

Il arrive que les enfants de deux ou trois ans traversent un épisode exhibitionniste. Un comportement qu'on peut considérer comme normal puisqu'il serait le fait d'environ 90 % des enfants. Quand on n'en fait pas un drame, la ferveur nudiste s'émousse rapidement. L'enfant est rarement pervers et il ne faut pas s'imaginer qu'il deviendra pour autant un adulte libidineux s'exhibant à qui mieux mieux.

La petite fille qui montre fièrement sa vulve vient probablement de prendre conscience de la différence des sexes et elle affiche sa spécificité. Le petit garçon qui se promène soudainement « pénis au vent » à la garderie, surtout s'il n'a pas de sœur, montre simplement que les filles l'intriguent.

Je préfère les expressions « autostimulation » ou « autoérotisme » à « masturbation » pour désigner le geste de l'enfant qui touche ou caresse ses organes génitaux. Encore une fois, pas de comparaison possible avec l'adulte, qui vise par cette activité le relâchement d'une tension sexuelle. La plupart des enfants retirent un plaisir à la fois sensuel et érotique de la manipulation de leurs organes génitaux. Ils auront des instants de prédilection pour s'adonner à ce jeu : le soir avant de s'endormir, en regardant la télévision, parfois en situation de stress.

Il convient de distinguer le jeu autoérotique et le fait de tenir ses organes génitaux. Ce dernier geste indique plutôt une insécurité. Il est fréquent de voir un petit garçon sucer son pouce en posant l'autre main sur son pénis ; même les aînés se tiennent parfois ainsi en lisant ou dans un moment d'inactivité.

L'autostimulation fait partie de l'ensemble des découvertes qu'un enfant peut faire. Ou ne pas faire. Elle lui permet d'apprivoiser son corps et d'y explorer sa sensualité.

À travers les jeux sexuels avec ses camarades, le tout-petit se compare et se rassure déjà sur sa normalité : le sexe de l'autre est pareil ou différent du sien. Cette vérification aura lieu même si l'enfant a eu l'occasion de voir ses parents nus. Pourquoi ? Parce qu'il n'est pas vraiment rassurant pour un petit bout de chou, garçon ou fille, de comparer son corps avec celui de son père ou de sa mère. À côté de l'anatomie adulte, le tout-petit a le sentiment que ses organes génitaux sont ceux d'une puce lilliputienne ! Une démarche de socialisation, d'ouverture à autrui, se réalise par l'intermédiaire de ces jeux. Et, rappelons-le, c'est le jeu qui prime, pas le sexe !

Françoise Dolto dit au sujet du jeu sexuel chez le jeune enfant :

> Tout ce que tu désires du sexe avec les autres de ton âge, si eux le veulent bien, mais jamais avec ceux de ta famille[20].

Malgré le profond respect que je voue à l'illustre psychanalyste, j'ai quelques réserves quant aux jeux sexuels entre frères et sœurs d'âge rapproché.

---

20. Dolto, F., ouvr. cité, p. 79.

On a laissé Julie (trois ans) jouer avec son petit frère nouveau-né. Son premier geste a été de lui chatouiller le pénis. Alors, on l'en a empêchée. On ne tient pas à ce qu'elle le tripote pendant des heures[21] *!*

Connaissez-vous un jeu auquel une enfant de trois ans se livre durant des heures ? Moi pas. Que l'on pense seulement à la capacité de concentration d'un enfant de cet âge. Si on n'en avait pas fait un « plat », en supposant qu'elle soit à peu près normale, elle aurait examiné le pénis et, une fois sa curiosité assouvie, se serait passionnée pour le petit orteil !

Les jeux sexuels sont des jeux corporels et ils ont leur importance. Ils peuvent contribuer à diminuer ou à supprimer les craintes qui s'accumulent lorsque tout ce qui entoure la sexualité flotte dans un nuage épais et mystérieux.

Il arrive, rarement, qu'un jeune enfant manifeste un intérêt sexuel démesuré et inquiétant. Le problème n'est habituellement pas d'ordre sexuel. Il faut alors chercher la signification non sexuelle de la conduite : abus, trouble de l'identité sexuelle, carence affective...

Enfin, les tout-petits expriment aussi leur curiosité par toutes les interrogations, énoncées ou muettes, qui les habitent, par la fascination qu'exerce sur eux le phénomène de la naissance, par le vocabulaire « sexologique » qu'ils utilisent.

Que faire de tout cela ?

COMMENT ACCOMPAGNER

Bien des parents me demandent, de façon détournée, comment freiner l'expression sexuelle de leur enfant. Il n'y a pas de moyens. Contrecarrer leur élan explorateur serait faire obstacle à leur développement intégral.

Les caractéristiques souhaitables à l'adulte-accompagnateur sont sensiblement les mêmes que celles de l'enfant : curiosité, spontanéité, avec en plus, la souplesse, l'ouverture et une bonne dose d'humilité. Pourquoi l'humilité ? Parce que le parent a tout à apprendre de l'enfant. Il doit prendre conscience de tout ce qu'il a oublié de sa propre enfance, savoir que toutes les études faites sur l'enfant sont biaisées. Le

21. Je me suis librement inspirée des propos de Wells (ouvr. cité).

parent devrait refléter, par les couleurs de l'information, par la musicalité de son approche, par les rythmes éducatifs, toute la beauté de la sexualité. En termes plus concrets : donner des renseignements justes selon l'intérêt de l'enfant, sans sauter ni devancer les étapes.

Auprès du nouveau-né, le rôle du parent se résume à lui prodiguer l'amour et les soins essentiels à son développement harmonieux et à son équilibre ultérieur. Grâce au toucher affectueux de ses proches, le bébé se sent aimé, sécurisé, accueilli.

Surtout, ne ménagez pas les cajoleries durant la première année de vie ! On dit que les adultes agressifs, exigeants, difficiles à vivre et sexuellement insatisfaits ont pu, dans leur toute petite enfance, souffrir de carence affective corporelle[22]. Ils continuent de réclamer sans répit des marques d'affection comme s'il leur manquait toujours quelque chose. Boulimiques d'attention et de sensations, ils prennent, accaparent, sucent et épuisent toute source d'amour, jamais comblés ou rassasiés.

Le langage et le corps

Quand surviennent les questions, de grâce, pas de réponses ou d'explications compliquées qui dépassent leur demande et leur capacité de comprendre. Les enfants ne posent que les questions de leur âge ; ne leur proposez donc pas des réponses de votre âge. Si les mots sont importants, même avant que l'enfant sache et comprenne de quoi il est question, il ne s'agit pas pour autant de donner à l'enfant de quatre ou cinq ans des notions d'anatomie qui dépassent sa compréhension. Il suffit de saisir les occasions ponctuelles et quotidiennes permettant à l'enfant d'intégrer ces notions. L'enfant peut, vers deux ou trois ans, voir les choses sexuelles sous forme urétrale, s'imaginer que c'est une stricte différence dans la manière de faire pipi. « Non, ce n'est pas ton pipi, c'est ton pénis ou ta vulve. »

Vous pouvez, pour les questions d'anatomie, vous aider de livres, de jeux, de poupées sexuées. L'enfant est concret ; il a besoin d'entendre et de voir. Soyez concret : cela vous évitera bien des embarras puisqu'il n'aura pas à vous demander de lui montrer votre vagin... Choisissez un moment propice, le sien, de façon à ne pas isoler le fait sexuel du reste de l'univers.

---

22. Montagu, A., *Touching: the Human Significance of the Skin*, New York, Columbia University Press, 1971.

Prenez garde à votre langage. C'est un lieu commun de définir la fille par ce qu'elle n'a pas. Combien de fois ai-je entendu de la bouche d'adultes de bonne foi: « Tu es une fille parce que tu n'as pas de pénis. » Primo, c'est une fausseté; secundo, c'est une assertion négative qui amène l'enfant à intérioriser un manque et à se définir par un déficit. Il est possible d'utiliser des termes positifs et justes, et, par ricochet, de renforcer une identité sexuelle en voie de formation, d'enrichir l'estime de soi.

Tu es une fille et tu as une vulve, un vagin et un clitoris.
Tu es un garçon et tu as un pénis et des testicules.

Les bébés, la naissance

« Comment il sera mon bébé à moi ?

— Ça dépend; de toi et de l'homme que tu choisiras. »

Message reçu: pour faire un enfant, il faut un homme et une femme.

« Il sort par où le bébé ?

— Habituellement, il sort par le vagin. »

Réponse courte, juste, claire. Inutile d'en rajouter pour l'instant.

« Elles sont chanceuses les filles parce qu'elles font les bébés !

— Oui, mais elles font les bébés de qui ?

— Bien... leur bébé.

— Oui, mais elles le font avec un homme; c'est aussi le bébé de leur conjoint. »

Réponses toutes simples. Le rôle des deux sexes dans le phénomène de la conception doit être dit à l'enfant, sans détails superflus, sans manigance.

L'enfant aime entendre parler des événements qui entourent la naissance: il est et il se sait concerné. Des informations limpides lui permettent de se situer, de comprendre d'où il vient. Afin qu'il ait un fil conducteur, il importe de couvrir, au fil du temps et de sa curiosité, toutes les étapes du processus: rapprochement intime entre un homme et une femme, fécondation, grossesse, accouchement. Lui préciser aussi que le fœtus grandit dans un lieu spécial, l'utérus, à l'intérieur du corps de la mère. Cela paraît naïf ? Si on ne le précise pas, il s'imaginera qu'il se développe dans l'estomac ou l'intestin... (et cela est plutôt inquiétant !)

Établir très tôt, sans plus de détails, que le rapprochement sexuel entre un homme et une femme ne conduit pas toujours à la procréation, pour éviter une confusion ultérieure.

Et puis, rien ne vous empêche de vous étonner avec lui ou elle en le faisant verbaliser sur *comment* il imagine son séjour utérin ; l'enfant adorera...

Amoureux de maman, amoureuse de papa

« Moi, je vais marier papa comme toi.

— Mais non, on ne marie pas son papa !

— Pourquoi ? Tu l'as bien marié, toi ?

— L'homme que j'ai marié n'était pas mon père. Mon papa, je l'ai quitté et tu feras la même chose quand tu seras grande...

L'enfant fait la moue.

— Tu sais, tu es triste parce que tu es petite et que tu as besoin de ton papa. Mais plus tard, si tu savais comme on est contente ! »

Après un instant de tristesse, vite envolé si on sait y être attentif, l'enfant comprendra graduellement que ses parents forment un couple, ou que le parent avec lequel il vit connaît des relations affectives qui ne lui enlèvent rien à lui. Il renoncera à cet amour exclusif et s'ouvrira à d'autres relations. Mieux encore, il aura envie de devenir grand...

Le parent est, pour le tout-petit, objet d'admiration, de convoitise, de possession, d'envie et d'identification : il veut sa puissance, sa beauté, son importance... Séduction oblige, elle fera à son père des avances aussi directes qu'ingénues : « Regarde comme je suis belle ! » (comprendre « bien aussi belle que ta femme, non ? »). Il affirmera à sa mère : « Moi aussi, je suis fort comme papa ! » (traduire « je vais devenir plus puissant que lui ! »). Ils devinent et jalousent le caractère érotique du lien entre leurs parents. Elle se mettra entre eux pour les séparer lorsqu'ils s'embrassent ; il se glissera dans le lit conjugal s'il soupçonne qu'ils se font des câlins.

Si vous êtes le père et que votre petite fille vous rejoint avec au cou le collier de maman et les lèvres pleines de rouge à lèvres, arrêtez-vous pour lui dire que vous l'aimez *aussi*, telle qu'elle est, parce qu'elle est votre fille. Auprès de votre fils, prenez votre place et n'hésitez pas à vous immiscer dans le cœur-à-cœur mère-fils.

Si vous êtes la mère, permettez à votre fils de vous quitter un peu plus chaque jour, de vivre des moments d'homme à homme avec son père ou avec d'autres figures masculines. Acceptez que votre fillette soit non seulement mignonne et adorable mais aussi sexuée et « désirante ».

Les jeux sexuels

Que faire devant le badinage sexuel de son enfant avec ses pairs ? S'il vous en parle, peut-être a-t-il besoin d'être rassuré. Apaisez-le en lui disant que sa curiosité est normale ; interprétez avec lui ses découvertes relatives à la différence des sexes ; donnez-lui l'assurance de votre ouverture afin qu'il puisse, le cas échéant, vous communiquer ses inquiétudes.

Même chose s'il vous arrive de surprendre ou d'interrompre, par inadvertance, un jeu sexuel. Pourquoi ne pas saisir ce moment pour prévenir : « Jamais avec les grands, même pas ceux de la famille ! » Un tel commentaire reconnaît à l'enfant le droit à la sexualité mais pas sous n'importe quelle forme et surtout, pas avec n'importe qui. Si les mots ne viennent pas, ne vous forcez pas à parler ; le langage non verbal peut être tout aussi significatif. L'important est de répondre à l'enfant par une attitude qui ne le fasse se sentir ni coupable ni honteux.

S'il ne vous en parle pas, c'est qu'il croit que ça ne vous regarde pas.

> Il n'y a rien de pervers dans les amitiés électives des enfants qui échangent des chewing-gums, se caressent, regardent comment ils sont faits ; ce qui est pervers, c'est lorsque l'adulte s'identifie au plaisir de l'enfant pour le juger dangereux et s'en fait le voyeur afin de l'empêcher d'en jouir[23].

Nous devons nous méfier de notre tendance naturelle à « faire diversion » devant un comportement sexuel qui nous embarrasse. « Changer les idées » est un message équivoque. Et l'ambivalence génère plus d'angoisse qu'un vrai OUI ou qu'un vrai NON. Détourner l'attention de l'enfant, c'est réprouver son comportement, tout en tentant de lui faire croire, ou de se faire croire, que la sexualité est belle et bonne.

« Oui, mais... Il n'arrêterait pas si je ne lui changeais pas les idées... » Allons donc. Les enfants ne sont pas des pervers polymorphes ! Vos propres jeux sexuels sont-ils sans fin ? Vous vous arrêtez quand vous êtes satisfait ou quand cela vous ennuie (du moins faut-il vous le souhaiter). Les enfants aussi.

---

23. Dolto, F., ouvr. cité, p. 99.

La même attitude vaut pour les comportements autoérotiques du jeune enfant. Je ne saurais trop insister sur l'importance de prendre conscience de nos acquis et de réfléchir sur notre histoire personnelle en matière d'éducation sexuelle afin d'éviter d'en reproduire les paradoxes sous d'autres formes.

Vous savez, ce père ou cette mère qui dit que la masturbation est un comportement normal et qui s'évanouit lorsqu'il ou elle surprend son enfant à le faire...

Une question que posent très souvent les parents : « Quand l'autostimulation devient-elle inquiétante ou anormale ? »

- Quand elle conduit à la douleur physique (automutilation).
- Quand le comportement est compulsif (comme se laver les mains 20 fois par jour).
- Quand elle devient le principal centre d'intérêt de l'enfant (refuge).

Dans de tels cas, il y a lieu de chercher et de trouver ce qui cloche, ce qui se tapit derrière ce comportement. Nous reviendrons sur l'autoérotisme dans une perspective plus large dans le chapitre sur les tabous.

Intimité ne veut pas dire en cachette

En ce qui a trait au respect des autres et de leur espace social, l'enfant est en mesure de comprendre très tôt que certaines activités se pratiquent dans l'intimité. N'hésitez pas à le lui dire et à illustrer vos paroles en faisant des comparaisons. Par exemple, on fait sa toilette dans l'intimité et non « en cachette ». Il n'y aura ainsi nul quiproquo possible entre les notions d'intimité et d'interdit et, par conséquent, pas de culpabilité.

Enfin, si votre enfant « tient » constamment ses organes génitaux, si vous avez l'impression qu'il le fait de plus en plus souvent, s'il a un comportement exhibitionniste qui perdure, s'il a des activités masturbatoires compulsives, peut-être lance-t-il des messages qui sont à clarifier.

Ces comportements sont à ne pas confondre avec le geste de provocation de l'enfant qui se met à jouer avec son sexe, au beau milieu du salon, pendant la visite de grand-mère. Tous les enfants passent par des épisodes de confrontation et de défi. Ils prennent plaisir à attirer l'attention, à choquer. Et plus l'entourage réagit vivement aux gestes de provocation, plus leur excitation est grande, et plus ça continue... Pour désamorcer le circuit, restez calme et expliquez placidement à l'enfant que ce comportement réservé à l'intimité est inacceptable en public. Invitez-le à cesser ou à se retirer pour s'adonner à cette pratique intime.

« Blottissage » parent-enfant et nudité en famille

Que penser de la nudité en famille ? La promiscuité corporelle entre parent et enfant est-elle souhaitable ? Bénéfique ? Dangereuse ? Il appartient à chaque famille de trouver son point d'équilibre parmi toutes ces écoles de pensées.

Françoise Dolto n'y allait pas de main morte. Elle proscrivait le corps à corps, le « blottissage », après le sevrage, arguant que « les parents ne sont pas chastes ». Elle soutenait que les « enfants sont détruits par la promiscuité et les câlins interminables de mères frustrées[24] » et voyait dans la promiscuité physique une incitation à l'inceste, consommé ou symbolique.

Il est vrai que la sensualité du tout-petit est grande, généralisée. Vrai également que le parent exerce sur lui un pouvoir de séduction dont il doit être conscient. Que faire ? Trouver le juste milieu qui permette à l'enfant de ne pas être privé d'attentions affectueuses sans pour autant qu'il envahisse l'espace corporel et intime de la mère.

Pour ma part, je persiste à croire que l'enfant a besoin d'être chéri corporellement. Son corps concrétise son être-au-monde ; prétendre aimer quelqu'un et ne jamais le lui signifier autrement que par les mots me paraît un non-sens. Comment peut-on se sentir aimé, important, sans être accueilli dans son intégrité corporelle ?

Néanmoins, il nous faut prendre conscience de nos besoins de parents.

- Sommes-nous avides de relations trop exclusives avec notre enfant ?
- Le « tétons-nous » pour combler nos propres carences affectives ?
- Nous réjouissons-nous à la pensée que ce qui compte pour lui ou pour elle, c'est de nous quitter un peu plus chaque jour ?

Répondre à ces questions et aux autres qui nous sont personnelles constitue le premier échelon qui permet d'atteindre le point d'équilibre en ce domaine.

24. Dolto, F., *L'éducation quotidienne vue par Françoise Dolto*, notes de stage ÉDU7710, p. 45.

Je suis portée à croire que câlineries et cajoleries sont salutaires et bénéfiques, dans la mesure où l'enfant sait : qu'il n'est pas l'élu de sa mère ou l'élue de son père, et que son père ou sa mère dort (ou peut dormir) la nuit avec une personne plus importante que lui sur le plan de l'intimité physique. Et cela, même si le parent n'a pas d'élu ou d'élue du tout, ou pas d'élu ou d'élue qui le comble.

Quant à la nudité, j'avoue avoir quelques réserves. Si l'on prête foi à l'argument *doltoïste* voulant que le tout-petit qui se glisse dans le lit conjugal pour un câlin est sexuellement excité, la vigilance s'impose. Certaines situations incestueuses ont commencé par de naïfs bisous de chambre à coucher. Et si l'enfant associe plaisir sexuel et parent aimé, comment pourrait-il se soustraire à l'inceste ?

Abus sexuel et inceste[25]

Il y a peu d'interdit. L'inceste en est un, disons-le clairement. Si tous les enfants avaient été avisés simplement et sans drame : « Les jeux sexuels oui, mais jamais avec les grands et jamais dans la famille », combien ne l'auraient pas subi, dans le silence et la peur, durant des années ? Combien de blessures et même de morts affectives auraient été évitées ?

Abuser sexuellement ou se laisser abuser est le second interdit. Profitez du moment où vous soupçonnez que votre enfant a des jeux sexuels pour le prévenir qu'il ne doit jamais se laisser faire, par un autre, quelque chose dont il n'a pas envie.

Pour être en mesure de se protéger contre les abus, le tout-petit doit rapidement être conscient de lui-même, de son droit et de sa capacité de dire NON. Pourtant, combien de fois les enfants sont-ils cajolés, touchés, pris dans les bras alors qu'ils ne le souhaitent pas ? On ne devrait jamais insister pour qu'il fasse la bise s'il ne le désire pas, pas même à grand-mère ! Si celle-ci est vraiment triste de ne pas recevoir son bisou ou si grand-papa menace de ramener son cadeau parce qu'il n'a pas eu le sien, l'enfant retiendra : « Quand je refuse qu'on me touche ou qu'on me cajole, cela ne m'attire que des ennuis ! »

L'idée de libre consentement s'enracine très tôt. Avec les plus âgés, les petits subissent parfois des menaces, physiques ou verbales. À ce stade, il ne s'agit plus de jeux sexuels sans conséquences mais

25. Voir aussi chapitre 9.

d'un rapport de force associé à la peur. Si vous pressentez une telle situation, dites à votre enfant que vous êtes de son côté. Invitez-le à vous en parler si quelqu'un, qui que ce soit, veut le contraindre à faire ou à subir des gestes qu'il ne désire pas. Exactement comme il le ferait si un plus grand lui prenait son vélo sans son accord.

Petit jeu de prévention

Que ferais-tu si…

- Tu nous perdais dans une foule ?
- La voisine venait te chercher à la garderie sans que papa ou maman ne t'ait prévenu ?
- Ton gardien te disait : « Tu pourras aller au lit plus tard si tu me laisses te donner ton bain… » ?
- Quelqu'un que tu connais bien te proposait de t'amener au parc d'attractions sans notre autorisation ?
- Ton moniteur de natation te touchait souvent le sexe en t'apprenant à nager ?
- Un sympathique grand-père te demandait dans la rue de l'aider à retrouver son chat ?

Une fois que sont données — bien données — et clarifiées les informations quant aux risques d'abus, ne lui cassez plus les oreilles avec ce sujet. Ne soyez pas trop pathétique, cela pourrait l'inciter à se taire s'il se trouvait en difficulté, pour éviter de vous bouleverser. Je le répète, le meilleur atout pour prévenir et empêcher les abus est un milieu familial ouvert où le phonème « sexe » n'est pas exclu du vocabulaire.

Je rêve du jour où n'importe quel enfant, même tout petit, répondrait à quiconque le menacerait d'aller tout raconter et de le lui faire payer : « Vas-y donc ! Je le dirai moi-même de toute façon ! »

Sexisme

Concluons ce chapitre avec un mot sur le sexisme. Les années de la petite enfance sont déterminantes quant à l'intériorisation des rôles, des clichés et des stéréotypes sexuels culturels. Ceux-ci conditionnent le potentiel de bonheur de l'enfant, l'aptitude à être bien dans sa peau, la liberté d'être, d'agir, de choisir, le respect de soi et de l'autre. Ne nous laissons pas aveugler par les quelques progrès antisexistes réalisés ces dernières années. Les acquis sont fragiles et beaucoup reste encore à faire pour poursuivre le virage amorcé, pour ne pas perdre de vue les objectifs poursuivis.

En revanche, l'éducation sexuelle des deux dernières décennies, et j'inclus ici les mouvements de femmes, s'est beaucoup orientée vers les filles. La nécessité d'un rattrapage a obligé à se préoccuper davantage de la sexualité de la fille. Ce fut le cas dans les familles, à l'école, dans la documentation, dans les programmes sociaux et de santé publique.

Quatre-vingt-quinze pour cent des jeunes lecteurs qui m'écrivent relativement à mes livres d'éducation sexuelle destinés aux 6-12 ans sont des lectrices. Sans doute ai-je moi aussi, plus ou moins consciemment, tenu d'abord un discours s'adressant plutôt aux filles. Peut-être aussi les parents fournissent-ils plus de matériel d'éducation sexuelle à leurs filles parce qu'ils craignent davantage pour elles. Nous ne devons pas nous leurrer : les attitudes sexuelles des garçons ne changeront pas par une sorte de mutation ou d'adaptation consécutive aux changements chez les filles. On commence à s'en ressentir tristement. « Que sont nos amis devenus ? » semblent se demander les adolescentes d'aujourd'hui.

Refuser de changer d'amure serait reproduire le modèle sexiste inversé. Récemment encore, une travailleuse sociale me confiait qu'à son avis les fillettes victimes d'abus sexuels recevaient plus d'attention que les garçons. Parce qu'elles sont plus nombreuses ? Oui, mais aussi parce que le garçon, étant du groupe des dominants, a plus de chances de s'en sortir seul. Mais la victime masculine s'en sortira comment ? Sous ses airs de dur ou de « réchappé », le danger est grand que le garçon devienne à son tour abuseur. Il est crucial de prévenir au mieux la reproduction de ce cycle infernal.

L'espèce humaine étant condamnée à être bisexuée, nous devons être soucieux de bâtir et de projeter des modèles d'hommes et de femmes qui soient beaux et toniques. Lors de la première édition de ce livre, je lançais la balle dans le camp des hommes. Elle y est toujours. Il y a de nouveaux flambeaux à porter. Ce sont des hommes qui peuvent le mieux rejoindre les garçons dans leur sensibilité, leur vulnérabilité et leur isolement, qui peuvent développer des approches qui les touchent et les atteignent dans leurs besoins muets. La présence et l'engagement de figures masculines significatives auprès des jeunes garçons risqueraient de déboucher sur une réelle redéfinition des rôles sexuels dévolus aux hommes, définition à laquelle les garçons participeraient enfin.

Les petits gars voient trop d'hommes abîmés sur la place publique, la plupart du temps, hélas ! à juste titre. Que les autres se lèvent et s'affichent. J'ai le sentiment profond qu'il y a urgence. Les enfants ont besoin de nouveaux modèles auxquels s'identifier, besoin de voir des hommes adultes se désolidariser publiquement du mâle dominateur, violent et abuseur.

Besoin plus prégnant encore pour les tout-petits qui s'apprêtent, à l'orée de l'âge de raison, à faire le saut dans une étape drôlement sexiste de leur développement.

CHAPITRE 5

L'enfance : de 6 à 12 ans

C'est aux enfants du groupe d'âge de 6 à 12 ans que je me suis d'abord intéressée : rien ne leur était destiné en matière d'éducation à la sexualité. Beaucoup de matériel sur la naissance, pour le tout-petit, puis un vide jusqu'au moment de prévenir les préadolescents de l'imminence de la puberté.

Pourtant, ni le temps ni le développement sexuel de l'enfant ne sont suspendus entre l'arrivée à l'école élémentaire et l'entrée à l'école secondaire. Bien au contraire. Avec le vocabulaire qui s'enrichit, la pensée qui s'affine, la compréhension de notions de plus en plus abstraites, l'apprentissage de la vie en société, l'enfant est préoccupé et concerné par une profusion de faits liés à sa croissance affective et sexuelle.

Allons-y voir.

UNE PÉRIODE D'INTÉGRATION PROGRESSIVE

Freud a appelé cette étape de la croissance « période de latence », supposant ainsi que ces années coulaient dans une sorte de torpeur, le développement sexuel étant en panne.

Je suis peu freudienne, c'est là mon moindre défaut. Je m'interroge sur cette théorie. Du déclin de l'intérêt pour la génitalité, vers six ou sept ans, jusqu'à la puberté, il se passe bien des choses. Freud y a vu un long moment de stagnation, car dans son esprit, il y avait adéquation entre sexualité et génitalité. L'enfant de 9 ans extériorise sa sexualité fort différemment de celui de 4 ou de 14 ans. De manière plus diffuse, moins centrée sur l'« appareillage » génital.

Que sont donc toutes ces questions récurrentes sur la naissance, cette adhésion fidèle au clan unisexe, ces scénarios de séduction à demi voilés, cette fascination pour les idoles, ce langage temporairement ordurier, cette attention surexcitée envers la sexualité adulte si ce n'est l'expression renouvelée de la croissance sexuelle ?

Diminution de l'intérêt pour la génitalité ? Oui. Mais latence sexuelle ? Non.

Entre 6 et 12 ans, l'enfant s'unifie. Il incorpore de nouveaux éléments à sa compréhension de la naissance et du dimorphisme sexuel ; il identifie graduellement ses besoins. Il écoute, observe, se façonne, prend position. Il assimile. Il saisit que si *son corps c'est lui, lui, ce n'est pas juste son corps.*

À sept ans, il peut encore demander : « Comment suis-je né ? » À 12 ans, elle vous posera la colle : « Pourquoi donc m'as-tu mise au monde ? »

Ce passage mérite plus d'attention qu'on ne lui en accorde généralement. Ce qui est peu ou mal assimilé durant cette phase risque de se digérer bien mal à 14 ou 15 ans. Dolto citait le cas d'une jeune fille qui, à 16 ans, s'était vu offrir des leçons d'éducation à la sexualité par sa mère monoparentale qui souhaitait la voir moins ignorante qu'elle-même autrefois. Après la série de trois conférences, l'adolescente avait retenu notamment que les ovules étaient « des petits bébés tout faits dans le ventre et il faut un homme pour les déclencher[26] ».

L'expérience aurait été fort différente si la fillette s'était trouvée à 8, 10 ou 12 ans dans un groupe de filles, avec un adulte qui les aurait informées et les aurait fait parler de leur corps, de leurs intérêts, de leur développement, de leurs parents, présents ou absents, en tant que modèles d'identification sexuelle.

Le cas de cette jeune fille constitue un exemple d'information sexuelle trop didactique, tardive, coupée de la vie, pièce trop longtemps manquante au puzzle du développement personnel. Comment une fille peut-elle assimiler et tenir compte, du jour au lendemain, d'un bombardement de notions sexuelles ?

---

26. Dolto, F.,« Information et éducation sexuelle », *Parents et maîtres* (1973), citée dans *L'échec scolaire,* Paris, Ergo Press, 1989, p. 81.

La tranche d'âge entre 6 et 12 ans est propice à une saine intégration. L'enfant absorbera souffrance et misère comme valeurs de base si on passe son temps à se lamenter.

Si tu savais ce que j'ai enduré...
Ah ! ce n'est rien à côté de moi...
Le sida, quel drame ! On va tous y passer, ma foi...

Il s'imprégnera par ailleurs de valeurs porteuses de joie et de satisfaction, réalistes et réalisables, si on lui enseigne qu'on peut agir sur les choses et cheminer vers des bonheurs enviables.

LE CLAN UNISEXE

L'appartenance à son clan unisexe est caractéristique de l'enfant de cet âge. C'est la période « les gars avec les gars, les filles avec les filles ». Vous vous souvenez de cette étape de votre vie ? « Les filles des guenilles, les garçons des cornichons ! »

On assiste ici au transfert de l'énergie libidinale à une énergie d'emmagasinement. Assimilation et « stockage » ne sont pas pour autant dépourvus de séduction. On est timide et discret à sept, huit ou neuf ans en ce qui regarde ses élans amoureux. Révéler qu'on a un fiancé ou une amoureuse nous attirerait les sarcasmes et la dérision de nos copains ou de nos copines !

Je me souviens de Catherine (huit ans) qui s'entêtait chaque jour, en trottinant vers l'autobus scolaire, à défaire les tresses que sa mère avait mis un temps fou à lui faire. Le jour où la mère a su, par la copine de Catherine, que Kevin la préférait cheveux défaits, elle ne s'est plus entêtée à la coiffer ainsi...

Et, dans ce même autobus, Paul-André (10 ans) partageait exclusivement ses chocolats avec Annick...

Une façon non verbale de dire: « Toi, tu me plais beaucoup ! »

Plus la puberté approche, plus la caste unisexe s'effrite. Elle sera bientôt trouée comme un fromage, remplie de brèches et de fenêtres ouvertes à l'autre sexe: premier *party,* premier baiser, première « blonde » ou premier « chum »...

Quel émouvant intervalle ! Chargé de questionnements, de secrets, de mystérieux prétextes. Un peu d'angoisse aussi qui pointe, à l'orée des grandes transformations à venir.

BESOINS ET EXPRESSION

Quels sont leurs besoins ? Comment les révèlent-ils ? Qu'en est-il de la composante sexuelle du fiston qui a 8 ans, de la fillette de 10 ans ?

Maintenant que l'enfant sait faire la différence entre les cils et les sourcils, entre la pupille de l'œil et l'iris, entre l'index et le majeur, il a besoin de préciser et d'étoffer sa compréhension de la différence sexuelle. L'anatomie et la physiologie des organes sexuels internes et externes sont à élucider progressivement, au fil des années. Dans cet esprit, le prépubère ne demande qu'à mieux saisir le processus de conception-fécondation-gestation-naissance ainsi que la responsabilité qui en découle.

Il est possible que si on lui explique plus en détail sa morphologie, la fillette soit tentée d'y aller voir. Et puis après ? Quoi de plus normal que de vouloir connaître son corps en entier ? Trop de filles et de femmes imaginent encore leurs organes génitaux comme un cloaque, mêlant dans leur visualisation intérieure les organes distincts qui composent la vulve.

J'ai vu des femmes adultes consulter un médecin pour se faire rassurer quant à leur normalité. Elles découvraient que leur vulve n'était pas en tous points conforme à celle qu'elles venaient d'apercevoir sur une illustration ou dans un magazine !

Renversant ? Cela n'est pourtant pas si étonnant ! Qui leur a jamais dit que la vulve est comme un visage ? On a tous deux yeux, un nez, une bouche, mais on ne ressemble à personne. On a un teint différent, un grain de peau unique, des lèvres minces ou charnues... Quelqu'un a-t-il jamais encouragé les filles à se mieux connaître ? Leur a-t-on jamais dit que les muqueuses génitales sont en tous points semblables à celles de la bouche, en plus hygiéniques, puisque moins exposées aux microbes ? La plupart des femmes se sont soumises à l'examen de leurs organes génitaux par leur médecin lors de visites gynécologiques, à l'exploration érotique de leur amant sans avoir osé s'approprier et apprivoiser cette partie intégrante d'elles-mêmes.

Dernièrement, j'entendais une préadolescente confier à une autre qu'elle devait mettre des suppositoires vaginaux pour traiter une infection et qu'elle craignait de se tromper d'orifice !

Inouï en 1999? Pourtant vrai ! Impossible de se représenter mentalement l'anatomie génitale féminine sans s'être donné la peine de se regarder. Parce qu'elles ne s'y sont pas senties autorisées, plusieurs femmes se sont refusé d'explorer leurs voies génitales et érotiques, escamotant ainsi les paliers premiers de l'apprentissage et du développement sexuel.

Cela n'est pas parce que les organes sexuels féminins sont morphologiquement moins visibles et moins accessibles qu'ils doivent rester d'occultes inconnus au regard même de leur propriétaire.

Voir venir sa puberté

À partir de huit ou neuf ans, l'enfant doit pouvoir apprivoiser l'idée de sa puberté prochaine.

C'est une illusion de croire que la puberté n'est plus une source d'angoisse. Ce sont les enfants de 9 à 12 ans qui m'écrivent le plus, et ils le font ordinairement pour se soulager de leur anxiété à la pensée de se transformer. La recherchiste d'une émission de télévision destinée aux 8-13 ans m'a montré des lettres d'enfants dans lesquelles ils écrivaient :

Les garçons ont-ils une sorte de menstruation ?
J'ai peur que ça m'arrive en classe ? Qu'est-ce que je ferais ?
Est-ce qu'éjaculer nous affaiblit ?

Des questions de cette nature sont monnaie courante. Aussi est-il souhaitable de préparer les enfants plutôt que d'essayer de les tirer du bouleversement quand ils y seront plongés. Entre 6 et 12 ans, l'enfant doit apprendre à connaître son corps, à comprendre son fonctionnement et ses émotions, et surtout, à « voir venir sa puberté ».

Par ailleurs, les enfants de ce groupe d'âge s'interrogent sur la sexualité adulte. Presque tous, vers neuf ans, ont été témoins, oculaires ou auditifs, de rapports sexuels adultes. Si on ne leur a jamais parlé que de sexualité de reproduction, ils se demanderont comment il se fait qu'ils ne soient pas plus nombreux dans la famille.

L'apprentissage par imitation n'a pas, non plus, complètement cédé le pas, et certains enfants vont jouer à « faire l'amour », reproduisant la gestuelle, l'essoufflement, les onomatopées... Il s'agit, la plupart du temps, d'un corps à corps, sans pénétration, et le plus souvent tout habillé. Un prétexte pour se toucher, pour transgresser l'interdit du clan unisexe. Les gamins qui se chamaillent, se bousculent, luttent en se roulant par terre, se tiraillent, comblent aussi par ces subterfuges leurs besoins de toucher et d'être touchés.

Ainsi que le raconte une jeune fille, la norme du déclin de l'intérêt pour la génitalité n'est pas absolue.

J'avais huit ans. Je me souviens parce que nous venions d'emménager dans une vieille maison. J'avais déniché un vieux fauteuil au grenier. Il avait un accoudoir rembourré, exactement de la bonne taille et de la bonne forme. Je me balançais et me frottais dessus en rêvassant. Je sentais monter en moi une sensation qui finissait par m'envahir tout entière[27].

Finalement, durant cette étape, garçons et filles ont besoin, plus que jamais, de références féminines et masculines auxquelles s'identifier. Ils sont coincés par les stéréotypes sexuels culturels. Ils ont des idoles qu'ils vénèrent, ne jurent que par elles et veulent par-dessus tout leur ressembler. Par le biais de ce « moulage », ils consolident leur identité sexuelle propre. Les épousailles avec le clan unisexe remplissent la même fonction.

Je fais comme les filles et les femmes, je fais partie du groupe des filles, donc je suis une « vraie » fille.

27. Je me suis librement inspirée des propos de Wells (ouvr. cité).

Je fais comme les garçons et les hommes, je fais partie du groupe des garçons, donc je suis un « vrai » garçon.

Post-petite enfance et prépuberté, âge tendre, âge de malléabilité, de plasticité du caractère. Années de clarification, de consolidation, d'intégration, de responsabilisation.

COMMENT ACCOMPAGNER

Respect de ses secrets et de son intimité

Alors que de nombreux parents se plaignent de la volubilité sexuelle des tout-petits, ceux qui ont des enfants de 6 à 12 ans se plaignent plutôt de leur mutisme !

Les garçons et les filles de cet âge sont discrets, traversent des épisodes pudiques, défendent jalousement leur intimité.

Votre fils de 12 ans se barricade dans la salle de bain ? Il en sort emmailloté jusqu'aux oreilles pour faire les 10 pas qui le séparent de sa chambre ?

Ne le taquinez pas. Même si vous avez cru qu'il deviendrait exhibitionniste tellement il avait la nudité facile quand il avait six ans. Ne vous offusquez pas non plus que votre fille ne vous présente pas son « fiancé ». C'est son affaire, son secret.

Des réponses concises

Ils ont besoin de précisions sur certaines données anatomiques, pas d'explications superflues ou de longues descriptions. L'autre jour, je disais à Olivia :

« J'ai remarqué que c'est à ton père que tu t'adresses quand tu as une question sur la sexualité. C'est peu courant et je suis curieuse, pourquoi ne t'adresses-tu pas à ta mère ?

— Parce que je n'ai pas besoin d'en savoir autant.

— Comment cela ?

— Mon père me donne des réponses, ma mère me fait des conférences ! »

Besoin de réponses sur ce qui les intéresse, pas de sermons fastidieux sur ce qui ne les concerne pas.

Guillaume, neuf ans, demande à son père ce qu'est un transsexuel. « Bien voilà ; on coupe le pénis et les testicules, ensuite on fait une ouverture pour le vagin... » Réponse excessive : Guillaume n'a pas digéré son repas. La question n'exigeait pas une description de la conversion chirurgicale. Il eût été pertinent de répondre simplement : « Un transsexuel, c'est un homme ou une femme qui est mal dans sa peau et dans son sexe ; il voudrait appartenir à l'autre sexe. » Être partisan de la transparence, cela veut aussi dire être sensible à l'enfant, à son rythme et au contenu de la demande.

Les rejoindre sur leur terrain

Vous souhaitez qu'il vous parle de lui ou qu'elle se raconte ? Ne le lui demandez pas. Parlez-lui plutôt de vous : votre premier amour, vos boutons à la puberté, la première fois que vous avez échangé un baiser, vos idoles, vos rêves et vos difficultés du moment... Cela leur plaît et cela les apaise. On se sent moins seul à trouver difficile l'approche de l'autre.

Ou encore, amorcez le dialogue à partir de leurs idoles : chanteuse, sportif, musicien, romancière...

- Qu'est-ce que tu lui trouves ?
- Veux-tu lui ressembler ? Pourquoi ?

L'éducation sexuelle n'est pas à côté de la vie. Elle est au cœur de la vie. Si votre enfant somnole lorsque vous vous racontez, n'insistez pas. S'il sent votre ouverture, soyez certain qu'il reviendra vers vous au besoin.

Avec vos limites et votre personnalité

Vous êtes pris au dépourvu devant une question, saisi d'un malaise devant une situation : dites-le. Convenez ensemble de reprendre la conversation à un autre moment, le temps que vous retombiez sur vos pieds. Mais n'oubliez pas de revenir sur le sujet là où vous l'aviez laissé.

Les enfants entendent plusieurs sons de cloche. Il y a la vérité de l'école, celle du groupe, celle des médias, celle du centre sportif, etc. Restez proche de votre vérité sans proclamer que c'est LA vérité.

« Oui, mais Untel, lui, il dit le contraire de toi !

— Untel n'est pas moi, et moi je ne suis pas Untel. Nous pensons différemment. »

Et quand ils sont au plus fort de leurs attitudes et de leurs conduites ségrégationnistes à l'endroit de l'autre sexe, souvenez-vous qu'ils sont probablement au sommet de la fascination qu'exerce la différence.

« Ah ! les filles, je m'en fiche, elles sont si nulles !
— Tu ne t'en ficheras pas toujours parce que, bientôt, tu plairas aux filles…
— Ah oui ? »

La sexualité adulte

Enfin, c'est à cet âge qu'il convient de situer la sexualité adulte dans son contexte de communication, de plaisir, d'affection, de responsabilité. Avec les plus jeunes, évoquez-la sous forme de jeu.

Un corps, ça parle et ça rit à tout âge !

S'ils ont surpris ou entendu vos ébats érotiques, n'attendez pas qu'ils vous en parlent, réconfortez-les plutôt que de les laisser croire à une « bagarre ».

Tu sais, un homme et une femme quand ils font l'amour redeviennent comme des enfants enjoués. Ils s'amusent, se chamaillent, s'essoufflent.
Ils émettent des sons bizarres et font du bruit. Ils se font du bien même si ça n'en a pas l'air !

Votre fillette vous a déjà vue utiliser un tampon ou une serviette hygiénique ou votre fiston vous a dit un jour : « Maman, j'ai vu du sang ! » Et vous lui avez répondu : « Mais oui, j'ai mes règles. C'est du sang mêlé d'eau. Cela n'est pas une blessure et ça n'est pas dangereux. » Vous pouvez maintenant les aider à voir venir leur puberté.

Tentez de les y préparer, non seulement sur le plan des changements physiologiques mais aussi des répercussions affectives. Informez-les à l'avance de l'éveil génital associé à la puberté. Rendez possible, par votre attitude et votre témoignage, l'expression de leurs émotions. Valorisez le passage à la puberté ; il comporte quelques écueils mais aussi des beautés.

Aussi, bien que les jeunes de cet âge réclament habituellement moins de marques d'affection et de tendresse que dans la petite enfance, ils en ont toujours besoin. Ils sont grands et petits à la fois. Ils sont habités de rêves de « grands » qu'ils confient en secret à leur ourson en peluche.

En définitive, si vous avez accompagné votre enfant tout au long des sentiers de sa croissance sexuelle, le besoin de traiter isolément la problématique des abus sexuels sera probablement superflu. L'enfant aura appris à reconnaître cette réalité et aura développé sa capacité d'exercer sa liberté et de se faire respecter.

Enfin, gardez bien en tête que les questions relatives à la sexualité ne sont jamais définitivement réglées. Prenons le phénomène de la naissance : à 4 ans, l'enfant demande par où sort le bébé ; à 6 ou 7 ans, il tente de débrouiller comment il y est entré ; à 11 ans, il veut savoir pourquoi vous l'avez mis au monde ; à 14 ou 15 ans, il souhaite surtout savoir comment se débrouiller pour ne pas en faire...

CHAPITRE 6

La puberté : l'entre-deux-mondes

Je ne sais jamais quelle tête elle fera en rentrant. Une fois c'est noir, une fois c'est blanc, tantôt les rires, tantôt les larmes. Seule avec moi, elle se blottit, rêveuse. Si je lui fais la bise devant ses amis ou amies, elle me pétrifie du regard, l'air dégoûté, comme si je l'avais agressée.

Et lui. Il dort encore avec ses « nounours » et nous embrasse tendrement avant d'aller au lit. Avec sa bande, il sacre, se bat, fait sans doute bien pire encore... Il feint de ne pas nous voir si on les croise. S'il ne peut pas nous éviter, il nous salue vaguement, l'air détaché comme si nous étions des extra-terrestres...

Vivre avec un « péri...pubère », c'est péri... lleux !

Un parchési existentiel : ça monte, ça descend, ça piétine sur une case, ça dégringole au moment où on s'y attend le moins, ça grimpe à nouveau. Il nous épargne, nous punit, nous récompense, nous glorifie ou nous châtie. Rarement au neutre. Passionnant. Éreintant.

EN TRANSIT VERS UN NOUVEL ÉQUILIBRE

La puberté, au sens livresque, c'est l'ensemble des modifications physiologiques et psychologiques qui se produisent à ce moment : apparition des caractéristiques sexuelles secondaires, de la menstruation, de l'éjaculation.

La capacité de procréer inaugure une grande saison de « premières » : l'adolescence.

Zone dangereuse ?

L'espace pubertaire a maintes fois été codé rouge : dangereux. S'agit-il d'un tournant plus marquant que l'entrée à l'école ou sur le marché du travail, plus décisif que celui de la vie adulte ou de la ménopause ? J'en doute. Particulier, oui. Et plus fertile en changements de toutes sortes. Le passé, avec tout ce qu'il a fait de nous, et le futur, avec tout ce qu'il contient d'incertitudes, se jettent à la croisée de chacune des étapes de la vie.

Le carrefour de ma propre puberté fut l'une des périodes les plus gratifiantes de ma vie, sous plusieurs aspects. J'ai savouré ce double et éphémère privilège d'être tantôt choyée comme une enfant, tantôt considérée comme une grande personne. Ce sentiment exquis (pour moi uniquement peut-être) d'être suspendue entre deux mondes, avec tout au fond de moi une impulsion irrésistible de bondir en avant...

L'adolescence ne s'installe pas brusquement avec la puberté. Il y a des marches avant et des marches arrière. Elle s'annonce doucement par des mouvements nerveux, des larmes de déséquilibre, des fous rires uniques...

Êtes-vous de ceux qui, comme moi, remarquent le caractère unique d'un éclat de rire ? Observez le fou rire d'un préadolescent ou d'une préadolescente. Aucun ne lui est comparable ; il contient tous les excès.

QUI SUIS-JE ? OÙ VAIS-JE ?

La manifestation centrale de la puberté : arrivée de la menstruation, première éjaculation. Le corollaire des transformations corporelles : on ne sait plus trop qui on est et où on va.

Un corps qui se redessine

Des mécanismes naturels et internes s'activent et entraînent des modifications corporelles déroutantes. L'enfant n'a aucun contrôle sur la poussée hormonale qui le transforme, redessine son corps, éraille sa voix. Son miroir lui renvoie une image physique décevante, non conforme, à l'opposé des modèles esthétiques suggérés par la société.

Ce coureur automobile, si grand, si musclé, si sûr de lui, entouré de filles toutes plus belles les unes que les autres, est toujours son idole. Il marche comme lui ; dans ses fantasmes, conduit sa voiture comme lui ; s'habille comme lui.

Et cette chanteuse adulée, vêtue de toilettes excentriques, « sexy », riche, avec tous les hommes à ses pieds, elle rêve qu'elle lui ressemble, qu'elle vit sa vie. Elle se coiffe comme elle, se maquille comme elle, sourit comme elle.

Par-dessus le marché, ce corps hybride devient le lieu d'une résonance irréfutable : l'attraction pour autrui.

L'attrait

On ne sait pas comment se comporter avec l'autre. On est envoûté, attiré, craintif.

Delphine (11 ans) se prépare pour aller à une fête chez Simon. Elle est dans la lune, son refuge de prédilection. Simon est si beau, si gentil, si… Oh ! Il ne faut pas qu'elle oublie ce disque compact qu'il aime tant. La remarquera-t-il ?… Dansera-t-elle avec lui ?… S'embrasseront-ils ?…

Et les sensations assoupies, diffuses, refont surface, se réveillent, polarisées…

Chez lui, Simon est aussi dans la lune. Il est embarrassé. Son pénis ne se contente plus depuis quelque temps de le faire se réveiller la nuit… Il bondit, durcit à tout moment… Il est troublé, craint d'être l'objet de moqueries, ne sait trop quoi faire avec cette débordante vitalité…

À cet âge, les jeunes s'interrogent sur la sexualité et sur leur propre sexualité. Les faits et les phénomènes entourant la procréation les intéressent désormais en tant que géniteurs et génitrices virtuels. S'ils ont bien compris d'où ils viennent, comment et pourquoi ils sont venus, ils appréhenderont mieux où ils vont, comment et pourquoi ils y vont.

Le moins que l'on puisse dire, c'est que la puberté est une période de grande effervescence. Le corps et l'esprit deviennent des moteurs de transformation de toute la personne.

BESOINS ET EXPRESSION

Au carrefour de la puberté, les jeunes ont de nombreux besoins et de multiples interrogations devant les phénomènes menstruel et éjaculatoire. Cette soif de savoir devrait être étanchée avant l'apparition de ces manifestations qui leur sembleront soudaines et brusques s'ils y sont peu ou mal préparés.

Certains signes physiques sont précurseurs de la menstruation : quelques poils au pubis, gonflement des aréoles, sécrétions vaginales qui peuvent tracasser la fillette non avisée. Elle a aussi avantage à connaître les rudiments du cycle menstruel qui s'installera, irrégulier au début, ainsi que les mécanismes de sa fertilité.

Le plus souvent, les filles ne sont pas gênées par les règles en elles-mêmes. Ce qu'elles craignent, c'est que cela se « voie ».

Chez le garçon, des indices annoncent aussi la capacité éjaculatoire : apparition de poils au pubis (ceux de la lèvre supérieure et des aisselles arrivent plus tard), baisse du timbre de la voix, augmentation de la taille des organes génitaux. Attention, vers 12 ans le garçon voit aussi ses aréoles se gonfler. S'il n'est pas averti de ce phénomène, il croira qu'il se féminise. Le mécanisme éjaculatoire, bien qu'associé au plaisir, inquiète de nombreux garçons. C'est quelque chose de nouveau, d'à la fois agréable et angoissant.

Garçons et filles pubères ont bien des émois à partager. Il arrive aussi qu'ils traversent un épisode de régression[28].

Sophie a eu sa première menstruation il y a peu de temps, raconte sa mère.

Dans les semaines qui ont suivi, elle s'est mise à se conduire en bébé. Elle se collait à mes jupes comme à quatre ans. Elle est même allée déterrer ses poupées à la cave et elle dort avec elles depuis...

Plusieurs mères ont observé des réactions similaires chez leur fille pubère. Marche arrière pour se donner un élan ; prise de recul pour apprivoiser la situation et la dépasser...

---

28. Cela confirmerait l'hypothèse de Gail Sheehy, auteur de *Passages* (Pierre Belfond, 1977), qui soutient que tout changement majeur est précédé d'une régression. Citation de mémoire.

L'éveil génital

L'activité hormonale déclenche des réactions génitales intensifiées. Les jeunes prennent conscience de cette nouvelle vitalité génitale. Elle se sentira « mouillée » à la vulve au contact de son petit ami ou simplement en y pensant. Il associera ses érections à une excitation sexuelle et pourra être gêné de cette réaction tout à fait naturelle. Néanmoins, ce malaise n'empêchera pas la majorité des garçons de répéter l'expérience du plaisir en solo en rêvant du duo…

Pour certains jeunes, filles ou garçons, le moment de la puberté révèle ou cristallise une attirance sexuelle pour ceux ou celles de leur sexe.

> La nature pousse l'être humain à être constamment créatif, à chercher l'autre en vue d'une fécondité. Mais la fécondité n'a pas à être entendue seulement sur le plan physiologique : ça peut être sur les plans psychologique, affectif et culturel[29].

La recherche de fécondité n'est pas l'apanage de l'hétérosexualité. On ne peut nier à l'être humain, déjà socialement marginalisé du fait de son orientation homosexuelle, sa quête de fécondité.

Et l'attraction est toujours un mouvement vers l'extérieur, vers l'autre, vers le plaisir et vers le bonheur.

Orgiaque à 11 ans ?

La sensibilité génitale associée à l'apport hormonal pubertaire ne signifie pas désir de passer à l'acte sexuel. Elle se manifeste sous forme d'intérêt accru, de curiosité, de fascination exercée par la différence des sexes. À cet âge, les nouveaux groupes admettent l'autre sexe, devenu bien excitant. Les émotions sont à fleur de peau, les élans pas toujours censurés.

Une jeune femme raconte un souvenir.

Nous avions 11 ou 12 ans. Nous étions chez des amis, des frères dont les parents étaient sortis. On s'est servi de l'alcool. Il en fallut bien peu pour saouler nos petites natures. Il faisait une chaleur torride. Marie-Claude a dit : « On enlève nos vêtements. » Et on l'a fait, tous les six. Un des gars ne voulait pas ôter son slip ; on l'a aidé.

---

29. Dolto, F., ouvr. cité, p. 105.

Nous, les filles, sommes allées chercher des rubans et on les leur a attachés autour du pénis. On était morts de rire. Ensuite, on s'est mis à danser autour de la pièce. Tout cela était d'un drôle et tellement naïf ! On riait tellement qu'on n'a pas entendu les parents entrer. Ils nous ont surpris, nus et tout essoufflés. Le drame !

Mes parents en ont longtemps parlé comme d'une orgie. Le fait d'avoir consommé de l'alcool au point de se faire sauter quelques cellules n'a pas paru les préoccuper en comparaison de leur réaction devant ce jeu sexuel de groupe[30] *!*

Une orgie d'enfants de 11 ans ? Que non. Des enfants qui ont ri et dansé nus ; une farandole fantaisiste et spontanée, une ronde pour exorciser des émotions nouvelles et envahissantes...

Le détachement parental

Le jeune est en plein processus de détachement de ses parents, d'affirmation de son autonomie. Emmêlé dans la crinière des clichés et stéréotypes, il n'en désire pas moins se démarquer du joug familial. Il y a de bonnes chances qu'il vous rejette énergiquement. Il vous contestera férocement si vous êtes conventionnel et dans la norme et il aura honte de vous si vous êtes marginal...

Écoutons France, mère moderne et ouverte.

L'autre matin, ma fille de 12 ans est partie en classe sans ses effets scolaires.

N'écoutant que mon dévouement maternel, je décide d'aller rapidement les lui porter. J'arrive à l'école durant la pause et la rejoins à la cafétéria. Souriante, je m'approche d'elle. Elle est écarlate, me jauge de la tête aux pieds et se rue sur moi pour m'enlever du champ de vision de ses copains...

Je n'étais pas maquillée. Je portais des bottes en caoutchouc vert, de « paysanne », m'a-t-elle dit. Elle a eu honte de moi, « à mourir ». Et n'a pas manqué de me le faire savoir en rentrant à la maison.

Voilà. Être le parent d'un jeune « atteint » de puberté est absolument renversant. Il faut être *in*, *full*, *cool*, « buzzant », « tripant », *hot*, *relax*, *fresh*, *peace* et... « BCBG » au moment de son choix.

30. Je me suis librement inspirée des propos de Wells (ouvr. cité).

Consolons-nous. Si nous naviguons à leur allure, tout en restant capitaine de notre propre bateau, la course sera brève. Le rejet des parents par le jeune est momentané et la plupart du temps bien superficiel. Ouf !

COMMENT ACCOMPAGNER

Comment se comporter avec notre enfant durant la traversée pubertaire ? En étant du voyage.

L'écouter quand il a besoin d'écoute, même si ce qu'il livre nous gêne ou nous fâche, lui parler quand son oreille est disponible. Parfois, aller au-devant de ses questions. Si vous dites ce qui vous préoccupe, il sera tenté d'en faire autant.

Le soutenir

Lui donner confiance en lui, en elle. S'il souffre d'un « handicap » (bégaiement, dentition imparfaite, etc.), faites tout votre possible pour corriger cela au plus tôt. Il a un besoin vital de se sentir beau, attirant et attirable. Ne jamais perdre de vue que l'homme ou la femme que vous êtes, votre façon d'appréhender la vie, votre relation au monde et vos attitudes éclairent l'enfant plus que tous vos discours.

Embellir son jardin

Sans entreprendre une campagne d'embellissement du jardin pubertaire, valorisez les expériences qui sont ou qui seront les siennes.

L'écoulement menstruel n'est pas sale ; il se compose de sang, d'eau et du détachement de la dentelle utérine. Cela n'est pas une maladie ; la fille perd tout au plus une demi-tasse de sang par mois et ce sang se renouvelle. C'est un signe de santé, un symbole de féminité, un indice que l'organisme fonctionne bien, la manifestation d'une merveilleuse possibilité, celle de mettre, un jour, un enfant au monde, si on le désire.

J'ai la conviction qu'une présentation positive de la menstruation peut contribuer à réduire les malaises menstruels de bien des filles.

La lubrification vaginale est activée par la poussée hormonale. C'est naturel et propre. Aussi naturel que d'avoir de la salive dans la bouche.

Ne dit-on pas « saliver devant un mets appétissant » ? Il est normal que le vagin s'humecte en situation d'intérêt érotique.

Ce n'est pas plus rose du côté des garçons. L'éjaculation spontanée est encore liée, dans leur esprit, à « faire des dégâts ». Plusieurs garçons se sentent aux prises avec cette ardeur et se culpabilisent de se masturber. Au fond, ils aimeraient bien parler à quelqu'un de ce qui se passe en eux.

Un jeune homme me raconte qu'à l'âge de 13 ans, aux douches du centre sportif, son père avait remarqué qu'il avait le gland irrité.

« Dis donc, bonhomme, faudrait pas te masturber avec trop d'enthousiasme, tu vas l'user ! » lui avait-il crié dans un éclat de rire.

Le jeune ne l'avait pas trouvé comique. Il aurait souhaité que son père le rassure, qu'il lui rappelle que le liquide séminal se renouvelle et qu'il le déculpabilise. Surtout pas qu'il lui dise qu'il allait « l'user », lui qui se tourmentait déjà quant à la taille de son pénis. Ce père n'a pas agi à mauvais escient. Sans doute ne savait-il parler de sexualité qu'en ces termes. L'occasion d'un échange complice avec son fils lui a filé entre les doigts. À vrai dire, se taire aurait constitué un moindre mal puisque les remarques amicalement grivoises du père ont résonné aux oreilles du garçon comme une offense plutôt que comme une invitation au dialogue.

L'arrivée de la menstruation est fréquemment l'occasion d'une belle et rassurante complicité mère-fille. La puberté masculine ne pourrait-elle induire un semblable rapprochement père-fils ?

La puberté : une fête ?

Depuis quelques années, des parents bien intentionnés ont envie de souligner joyeusement l'arrivée de la puberté, d'en faire une fête. Je pense que c'est une belle idée, mais attention, discrétion et respect s'imposent. Certaines filles demandent à leur mère de garder le secret sur l'arrivée de leurs règles. À respecter.

Une fête, oui, mais intime. Son repas préféré, un objet convoité offert discrètement. Une fête pour son plaisir et non pour le nôtre.

Quand ma fille a eu ses règles, j'ai voulu marquer ce moment. Je l'ai donc invitée au restaurant : une crêpe saumon fumé et crème sure, sa folie.

Nous bavardions. Moi, j'étais très émue. J'avais commis un impair : en entrant, j'avais dit à la restauratrice, que nous connaissions bien, que nous fêtions un événement spécial. La patronne, croyant bien faire, piqua des feux de Bengale sur la crêpe dessert.

Horreur ! Tous les gens attablés regardaient ma fille, croyant que c'était son anniversaire. Elle était cramoisie, voulait disparaître sous le plancher. Elle s'est imaginée que tout le monde savait et qu'ils allaient se mettre à chanter : « Joyeuse menstruation... Joyeuse menstruation... »

Ses yeux me foudroyaient. Je l'avais, pensait-elle, trahie.

Comme on peut gaffer parfois en voulant bien faire ! Nous avons ri, quelques minutes après. Mais je me souviendrai toujours des quelques instants de profonde humiliation que je lui ai fait subir.

Prévention : un bon moment

Le carrefour de la puberté me paraît un lieu propice aux conversations sur la sexualité des plus grands, des adolescents. Quand ils seront en plein dedans, il sera bien tard.

On peut, avec des jeunes de 11 ou 12 ans, aborder de façon plus impersonnelle la question des MTS et de la contraception. C'est un bon moment parce que ces réalités sont, pour la plupart d'entre eux, de l'ordre de l'éventualité ; elles ne sont pas encore chargées d'émotion.

Lui donner confiance

Pas d'estime de soi sans confiance. À ce chapitre, il est souhaitable, dans certaines circonstances, d'aller au-devant d'eux...

Votre fils de 12 ou 13 ans a les nerfs en boule, vous le sentez. Il est invité à une soirée qui aura lieu demain, vous le savez. Il a le béguin pour la petite Natacha, vous l'avez remarqué. Eh bien, aidez-le !

« Tu penses à quelqu'un...
— Non.
(*Silence*)
— Heu, oui...
(*Silence*)
— ... à Nath.
— Et qu'est-ce que tu as fait pour lui faire savoir qu'elle te plaît ?
— Bien..., rien. Elle ne me regarde même pas.

— Et pourquoi te regarderait-elle ? Tu ne la regardes même pas toi-même ! Mais puisqu'elle te plaît à toi, essaie au moins de lui parler. Non ? »

Vous savez, les enfants auront beau recevoir des flots d'informations sexologiques à l'école, au centre communautaire, à la maison des jeunes, à la clinique ou dans les livres, il est un type d'accompagnement que seul un parent peut offrir : l'assistance personnalisée, tendre et affectueuse. Aider nos enfants à grandir, qui peut mieux le faire que nous ?

La puberté est un passage vers un nouvel équilibre qui dure plus ou moins longtemps. Une croisée des chemins pour les parents aussi. Il sont forcés de mettre de l'ordre dans ce qui est important pour eux : l'essentiel, le secondaire, le futile. Avec l'adolescence qui pointe, les enjeux sont différents, les risques aussi.

CHAPITRE 7

L'adolescence : de la puberté à la vingtaine

ILS NOUS ÉCHAPPENT

Il n'y a pas si longtemps, je savais toujours où elle était... Elle me disait tout. Maintenant, elle a son monde à elle où je ne suis pas invitée. Elle dit que je m'inquiète pour rien. Possible, mais... je ne la reconnais plus. Je ne sais plus comment lui parler.

Je ne le vois plus. Bonjour. Bonne nuit. Il ne fait que passer. La maison est comme une cafétéria. Je chiale quand il n'y est pas. Je chiale quand il y est : sa musique, quel vacarme ! Et son accoutrement !

Le parent-funambule

Les adolescents forment un groupe à part entière. Ils ont leur propre système de références. Ils sont assis entre deux chaises, attachés aux figures parentales tout en désirant s'en libérer. Ils sollicitent rarement le support dont ils ont besoin. Leur insécurité tranche considérablement avec la nôtre à leur âge : sida, situation écologique, détresse affective, nombre effarant de suicides chez leurs pairs, redéfinition de la famille, perspectives d'emploi insécurisantes...

Avec l'adolescent, le parent est comme un funambule. Quand on le voit souffrir, pleurer, planer, s'isoler, ne plus manger, on marche sur le fil qui sépare l'indifférence de l'intrusion.

Vivre avec un adolescent, c'est un jeu subtil de proximité et de distance. Trop de proximité : on finit par ne plus se distinguer soi-même dans ce face à face. Trop de distance : pas de vie possible ensemble.

Je n'aime pas la description que font de l'adolescence la plupart des manuels de psychologie et de sexologie : les hormones, les statistiques, la mécanique physiologique. J'en parlerai donc très peu. Ces regards descriptifs et quantitatifs abondent et sont utiles. Ils esquivent cependant les questions brûlantes qui sont au cœur du problème.

- À quoi ça sert d'aimer ?
- Pourquoi l'amour ne dure-t-il pas ?
- Pourquoi l'amour fait-il souffrir..., mourir ?
- Serai-je choisi, aimé ?
- Pourquoi dois-je penser à toutes ces choses compliquées que je n'ai pas envie de faire ?
- Pourquoi ne pas faire ce qui me plaît ?

Les adolescents partagent entre eux certaines inquiétudes. Rarement avec leurs parents. Ils les déguisent en comportements.

Flaireraient-ils qu'elles mettent les parents mal à l'aise ? Que ceux-ci n'ont pas toujours envie de les entendre, parce qu'elles ouvrent une brèche dans leur propre vie ? Qu'elles égratignent quelquefois...

- Qu'est-ce qu'aimer, rencontrer, séduire, plaire, être aimé ?...
- Quel sens a ma vie ?

En épluchant ces questions avec ses parents, c'est aussi la vie du parent que l'adolescent épluche. Et il a besoin de voir un projet de vie chez ses parents.

L'adolescence : une réalité nouvelle

L'adolescence s'ébauche avec la puberté, qui survient plus tôt qu'autrefois. Au début du siècle, les filles avaient leur première menstruation vers 14 ans, se mariaient peu après, se retrouvaient mères de famille à 16 ou 17 ans. Les garçons passaient eux aussi du statut d'enfant à celui d'homme vers 14 ou 15 ans en accédant au monde du travail. La puberté scellait l'enfance et ouvrait la porte de l'univers adulte sans véritable transition. On peut donc dire que la période de l'adolescence qui s'étale de la puberté jusqu'à environ 18 ans, âge de la majorité officielle, est une réalité des temps modernes.

De nos jours, les enfants sont pubères aux alentours de leur douzième année. Je ferai généralement référence aux 12-15 ans quand il sera question des jeunes adolescents et aux 15 ans et plus en parlant des grands ados, « vieux » ados ou ados plus âgés. Les vocables « adolescence » ou « adolescents » désigneront l'ensemble des jeunes ou, selon le contexte, l'adolescent d'âge moyen.

De façon générale, les jeunes adolescents sont en pleine effervescence physique et leurs préoccupations découlent de ces chambardements physiologiques et de toutes ces sensations nouvelles qu'ils ressentent : « Pas assez musclé, seins trop petits ou trop gros, pas assez de barbe, trop de boutons, etc. »

De leur côté, les grands ados ont habituellement dépassé ce stade. Ils en sont à apprivoiser leurs voies érotiques à deux et, plus globalement, à se saisir eux-mêmes en poursuivant la découverte de l'autre.

ADOLESCENCE COMME ROMANCE...

Que dit l'adolescent de ses amours ?

Suis-je belle ? Il faut plaire aux garçons.
Est-ce que je suis assez viril ? Et si je manquais mon coup ?
Si je ne couche pas avec lui, il me laissera tomber.
Si je ne « baise » pas, je passe pour un niaiseux.
Je l'aime à en crever, il n'est sûrement pas à risques...
Elle doit prendre la pilule, j'ai pas besoin de condom.

Voyons l'histoire d'Élaine, 16 ans : un amoureux pour la vie un jour, un autre le mois suivant... À chaque nouvelle idylle, sauf rares exceptions, elle a des rapports sexuels.

« Chaque fois, soupire-t-elle, je crois que c'est parti pour le grand amour et chaque fois, je me fais avoir. Les garçons n'attendent que ça. Si je disais non, j'aurais l'air d'une imbécile et ils partiraient voir ailleurs. »

Sacrifice ?

« Oui et non, avoue-t-elle après une hésitation. J'aime bien plaire et ça me prouve que je ne suis pas plus moche ni plus bête qu'une autre. »

Généralement, la vague de l'information destinée aux jeunes déferle à des lieues de leurs préoccupations profondes. Elle les atteint rarement et, quand elle y parvient, ils sont si submergés de propos hygiéniques qu'ils finissent par ne tenir compte que de cela. Leurs véritables besoins se diluent dans un flot de règles à suivre, celles du groupe, celles de la société, celles de la famille, celles de l'école, celles des campagnes de prévention... Résultats ? Au mieux, une situation comme celle d'Élaine : responsabilité sur le plan hygiénique, mais insatisfaction et désillusion. Au pire ? Une adolescente de 14 ans qui, en 1999, dit : « Je ne peux pas être enceinte, il a éjaculé juste au bord ! »

... comme ignorance

« L'ignorance céleste » des jeunes cœurs amoureux est d'une autre époque. Nous voici à l'ère de l'ignorance savante de jouvenceaux en quête d'amour.

À propos d'ignorance, cela me rappelle une anecdote que m'a racontée mon beau-fils. Cela se passait il n'y a pas si longtemps.

En classe, un prof donne un cours d'éducation sexuelle à 25 garçons de 13 et 14 ans. Il instruit ses élèves de l'anatomie des organes génitaux féminins et énumère les fonctions de chaque organe externe. Pointant le clitoris de sa baguette (non magique) sur la planche anatomique, il se limite à le nommer.

« À quoi ça sert ? » demande, moqueur, le grand Frédéric qui semble détenir la réponse. « Ça sert... heu... ça sert à rien ! » affirme le maître.

Ignorance ? Incompétence ? Mauvaise foi ? Peu importe. Voici un homme adulte, un éducateur, qui a raté une belle et double occasion : informer explicitement sur le plaisir féminin et récupérer le faux message pornographique. La sexualité est encore le seul domaine où il arrive encore de penser que l'ignorance est supérieure à la connaissance.

... comme divergence

La publicité ajoute au portrait en vendant le cliché d'un adolescent dynamique, sportif, sociable, épanoui, beau, propre, sans complexe et... buveur de bière. Les médias s'en mêlent, brossant le tableau d'un jeune violent, dangereux, qui fait peur, se drogue, « baise », s'envoie en l'air à gauche et à droite.

Le parent est sournoisement invité à voir, derrière son adolescent, un type, un modèle, une marque de commerce, une caricature d'être humain.

- Où se situe notre fils, notre fille, dans cette panoplie d'images ?
- Que vit-il ? Qui est-elle ?

Ils se livrent si peu ! La tentation est grande de croire que les jeunes sont superinformés. De condamner ou de jalouser la liberté sexuelle qu'on leur suppose. On présume qu'ils vivent des relations sexuelles sans problème. Il y a loin de la coupe aux lèvres. Oui, ils reçoivent des renseignements sur la contraception, l'anatomie et les MTS... Cela ne suffit pas ! Comment se débrouillent-ils avec les autres questions et les émotions ?

- Est-ce que ça durera ?
- Ça a été un vrai flop !
- Je me sens comme une « merde ».
- Pourquoi suis-je seul ou seule ?
- Le ou la reverrai-je ?

... comme indépendance

Le leitmotiv adolescent : sortir de la maison familiale ou s'emmurer dans sa chambre. Sortir, c'est choisir : sa musique, ses soirées, ses copains, ses loisirs, ses études, ses amours, sa solitude. Avoir son territoire, différent de l'espace familial. Se donner de la place et de l'importance. Ce qu'il leur faut dans leur baluchon : quelques réserves de sécurité et de confiance. Trop, c'est trop lourd, ça freine !

PENSÉE MAGIQUE ET COMPORTEMENTS SEXUELS

L'âge moyen de la première relation sexuelle a baissé depuis les années soixante. De nos jours, la moitié des jeunes, garçons et filles, ont eu un rapport sexuel avec pénétration avant d'avoir atteint l'âge de

15 ans. On estime qu'entre 12 % et 22 % des jeunes âgés de 15 ans qui sont actifs sexuellement ont déjà eu six partenaires sexuels ou plus[31] et que le tiers d'entre eux n'utilisent pas de moyens efficaces de contraception et de prévention de façon régulière[32]. La majorité des adolescentes connaissent sur le bout des doigts les moyens de contraception et pourraient donner un cours descriptif sur le sujet, mais nombreuses sont celles qui vivent leurs premiers rapports sexuels sans prévention aucune. Même chez des jeunes passablement responsables, la magie du moment l'emporte. Comme s'ils craignaient de rompre le sortilège et le romantisme du moment, en le prévoyant.

Le condom est accessible, « publicisé », presque glorifié. Plusieurs[33] disent l'utiliser lors des premiers rapports sexuels avec un nouveau partenaire. Après, ils ont tendance à l'oublier, à le bouder. Ils connaissent son effet contraceptif, ils savent qu'il protège contre plusieurs MTS, ils n'ignorent pas que la chlamydia est épidémique dans leur groupe d'âge, ils savent que l'infection à condylomes est l'infection la plus répandue au Québec, ils conviennent aussi des dangers théoriques du sida. Dans le feu de l'émotion, ils se comportent bien souvent comme si tout cela n'était que chimères... Mais ne nous méprenons pas. Les jeunes ne disent pas :

Ça n'arrive qu'aux autres.
Ça n'arrive pas la première fois.
Ça n'arrive pas si on ne jouit pas...

Ils le vivent comme cela. La pluie de nos informations glisse sur le sommet de leur parapluie magique. Une sorte de déni :

Si ça arrive comme ça, sans planification, je ne suis pas responsable.
Ç'a été plus fort que moi, j'ai perdu la tête...

Négation de ses besoins, de sa recherche de plaisir. Surprenant ? Pas vraiment. Quelqu'un leur a-t-il déjà parlé de la liberté d'assumer leurs besoins, de la légitimité du plaisir ? Nous y reviendrons...

31. *Sexualité, MTS et sida, parlons-en,* ministère de la Santé et des Services sociaux (MSSS), Québec, 1996. Brochure à l'intention des parents.
32. Robert, J., *Un « gros » risque : la grossesse à l'adolescence,* Formation personnelle et sociale (FPS), vol. 3, nº 8, septembre 1995.
33. En 1995, 75 % des jeunes (comparativement à 50 % en 1988) disent l'avoir utilisé lors de leur première relation sexuelle, mais le tiers seulement l'utiliseraient de façon constante. (*Sexualité, MTS et sida*)

Sexualité vécue par procuration

Une autre caractéristique de la sexualité adolescente, c'est qu'elle est vécue par procuration. Plus souvent qu'autrement, elle est décidée par les autres :

décidée par l'amoureux qu'elle a peur de perdre ; par le groupe, « tous les copains l'ont fait » ; par les parents, quand l'interdit est irrésistible.

Et vécue pour les autres :

pour garder son « chum », pour montrer aux amis qu'on n'est pas attardé, pour contredire ses parents.

On s'y refuse rarement pour faire plaisir à ses parents.

Je remarque aussi que, en dehors des jeunes couples stables, il est de plus en plus exceptionnel que la sexualité soit vécue à « froid ». Le premier rapprochement sexuel est souvent improvisé, résultat d'une fin de soirée. Deux ou trois bières, deux ou trois joints pour oser s'envoyer en l'air. On veut une sexualité *cool,* on fait comme si elle l'était et pourtant on se coupe d'elle. On s'engourdit pour se rapprocher, on se « gèle la binette » pour faire fondre ses inhibitions, pour partager son intimité…

Dépourvue de communication

L'adolescent manifeste une apparente fermeture aux adultes, à l'autorité. Il a peur d'être jugé, rejeté. Il a le sentiment d'être différent. Il veut se détacher, et l'exercice de sa sexualité constitue l'élément le plus important de sa démarche d'autonomie, de sa volonté de s'affirmer. Aussi est-il compréhensible qu'il ait envie de garder privés certains aspects de sa vie.

Il est avide de communication. Dans mes rencontres avec les jeunes, je constate que le mot *communication* est omniprésent dans leur discours : un désir, un besoin, un manque, une valeur sûre, un écueil, une panacée, un rêve… Leur boulimie de communication est proportionnelle à sa pénurie. Ils sont conscients que leurs relations en sont dépourvues et trépignent pour l'y introduire.

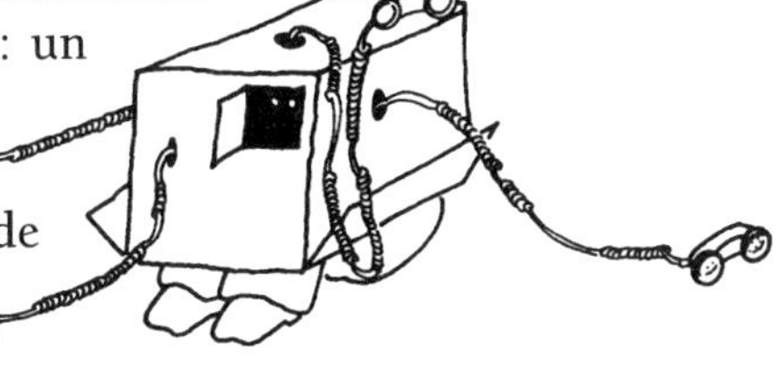

Les gars et les filles ne partagent pas les attentes qu'ils ont les uns envers les autres quant aux relations sexuelles et amoureuses; les gars ne se confient pas aux gars, ils badinent; les jeunes ne s'ouvrent pas aux adultes, « ces derniers n'y comprendraient rien et les parents capotent à tout propos… » ; les filles se parlent un peu plus entre elles.

Le groupe

Puis il y a l'appartenance à son groupe qui constitue une autre spécificité du jeune adolescent. La bande: pour le meilleur et pour le pire.

Ils se serrent les coudes pour combattre l'oppression sociale, scolaire, parentale. Ils se donnent leur accord à propos de tout et de rien. Dans le domaine des relations garçon-fille, de la sexualité, ils sont peu bavards sauf pour plaisanter.

J'ai de la difficulté à me concentrer en classe. Je veux bien être calme durant mes cours, mais je n'y arrive pas.

C'est sûr que je me fais influencer. Je rigole avec les autres.

On se chuchote des balivernes sur les filles… Et là, je pense à des bêtises…

La prof est chouette, je l'imagine toute nue…

Saison des « premières »

C'est la saison des amours et des « premières ». Avec la poussée pubertaire démarre une succession presque ininterrompue de « premières » : première expérience de plaisir sexuel pour certains, première masturbation pour plusieurs, arrivée au secondaire, au collège pour les plus âgés, premier amour, premier grand amour, première peine d'amour, premier gros show, première cuite, première expérience de drogue, premier *bad trip,* premier rapport sexuel, premier examen gynécologique, premier emploi, premier permis de conduire, première déception sexuelle, premier droit de vote et, de plus en plus souvent hélas ! première MTS.

Autant de « premières » sans répétition générale préalable, avec le lot d'anxiété qui se rattache à toute expérience nouvelle.

Telles sont, tirées à grands traits, les figures adolescentes. Bien sûr, tout cela se nuance d'un individu à l'autre ; les teintes sont plus vives à 15 ans qu'à 18. La pensée magique perd de son envoûtante aura avec le temps et surtout avec l'apprentissage.

Tâchons maintenant de voir comment se transposent, dans les besoins, ces particularités de la sexualité adolescente.

BESOINS ET EXPRESSION

Noviciat érotique sous le toit familial ?

Patrick, 17 ans, est aux anges. Il déclare, très fier : « C'est la première fois que je suis vraiment amoureux... Elle avait déjà été amoureuse avant mais jamais comme cette fois-ci avec moi, affirme-t-il, sûr de lui. Et c'est avec moi qu'elle a fait l'amour pour la première fois. »

Ils ont attendu quelques semaines avant de passer à l'action. Ils parlent uniquement entre eux de leur intimité sexuelle.

Entre copains, on a beau dire, ce n'est pas très facile. Quant aux parents, tout ce qu'on leur demande, c'est d'être assez ouverts pour accepter qu'on soit ensemble.

Patrick et Julie sont autorisés à passer la nuit chez l'un ou chez l'autre... quand les parents n'y sont pas. Ces derniers ont ainsi fixé leurs limites : seules les vacances, si leurs amours durent jusque-là, seront l'occasion d'une cohabitation officielle.

Que pensent les parents de la vie de couple à temps partiel de leurs adolescents ? Se réjouissent-ils de ce noviciat érotique qui se déroule sous le toit familial ? Le tolèrent-ils à contrecœur ? Rares sont les parents qui échangent avec leurs jeunes à ce propos.

La priorité du besoin affectif et le « faire semblant »

Les jeunes d'aujourd'hui ne sont pas si enclins à la promiscuité sexuelle qu'on est tenté de le croire. Au fond, ils le sont moins que la génération des années soixante et soixante-dix. L'aspect affectif de la relation prime et s'ils paraissent être des butineurs sexuels, c'est au nectar des sentiments qu'ils s'abreuvent. Ils tentent, parfois désespérément, de combler le vide émotionnel par le langage sexuel.

Peu d'adolescentes prennent un réel plaisir physique aux rapports sexuels de pénétration. Les premières expériences coïtales sont souvent le théâtre d'un grand mensonge collectif qui s'amorce : les filles font semblant de jouir, les gars font semblant d'y croire. Au fond d'elles-mêmes et d'eux-mêmes, ils savent bien que le pénis n'est pas une baguette magique, que le vagin n'est pas un écrin féerique. Mais le parangon sexuel véhiculé par le cinéma, la porno et les magazines est celui de l'homme qui, d'un coup ou deux de sa baguette magique, expédie sa dulcinée en orbite. Cliché bien absorbé, à partir duquel garçons et filles cherchent, à travers leurs expériences sexuelles, à se confirmer qu'ils sont de vrais hommes et de vraies femmes s'y conformant.

À longueur d'année, je rencontre des filles de 16, 17 ans qui se croient frigides, des garçons du même âge qui se jugent nuls comme amants. Sentiment d'échec, fracture du moi. Pour sauvegarder son identité sexuelle ébranlée, on triche. On calque le stéréotype, si fallacieux soit-il. Pour imiter la frime, on frime.

Les jeunes ont besoin d'informations justes concernant la dynamique érotique des deux sexes. Ils ont besoin d'apprendre à communiquer, à habiter leur désir, à livrer leurs attentes à leur partenaire. Besoin qu'on leur propose d'autres scénarios sexuels, réels, basés sur la réciprocité, le consentement véritable, l'honnêteté, et desquels le plaisir ne soit pas exclu. Comme disait Alexandre : « Moi, j'aimerais qu'on se préoccupe de la qualité de ce que je vis et qu'on lâche ma tuyauterie. »

Nous n'en sommes pas là. Une importante étude américaine[34] effectuée auprès de 160 000 jeunes de 13-15 ans démontrait, il y a à peine une douzaine d'années, que du tiers d'entre eux déjà actifs sexuellement, 71 % n'avaient même jamais discuté de contraception avec leurs parents ! Tous souhaitaient que leurs géniteurs soient plus bavards sur la question sexuelle. Les choses ont-elles changé depuis ? Oui, quant aux informations factuelles et aux mises en garde. Non, en ce qui a trait aux émotions et à la qualité de l'expérience sexuelle.

Derrière ces besoins, ces attitudes et ces comportements se dissimulent les valeurs des jeunes : amour et exclusivité sexuelle (eh oui !), communication, et ce que j'appellerais la tolérance. L'amour ou, à tout le moins, la tendresse : pour étancher son besoin d'attention et d'affection. L'exclusivité sexuelle, successive, mais non moins réclamée : le temps que dure le couple, chacun exige d'être le seul et l'unique pour l'autre. La communication : insaisissable inconnue qu'on revendique. La tolérance : sorte de volonté de vivre et de laisser vivre, masquant le

34. Planned Parenthood of America, *Comment discuter de sexualité avec votre enfant*, Montréal, La Presse, 1988, p. 154.

piège de tolérer jusqu'à l'intolérable, en l'occurrence le mensonge, la violence, le leurre, présents au sein du groupe.

Si imperceptible que cela puisse paraître, il faut admettre que le groupe auquel appartient votre adolescent a de bonnes chances d'avoir adopté, en les adaptant, vos propres valeurs et celles des autres parents. Quand bien même les apparences laissent croire le contraire, ces frontières sont rarement dépassées pour une longue période.

Si vous avez accompagné vos enfants en leur proposant des valeurs sans les contraindre à adopter votre vision du monde, soyez assuré qu'à moyen terme, ce sont elles qui l'emporteront. Si vous avez prôné des principes qui détonnent par rapport à vos attitudes et à vos conduites réelles, vous risquez des désillusions.

Les jeunes sont plus conformistes qu'on ne le croit. J'avoue trouver plusieurs d'entre eux plus vieux jeu que les hommes et les femmes de ma génération… Des quêteurs d'amour bien plus que des révolutionnaires. Saurons-nous accorder nos violons afin qu'ils ne deviennent pas des mendiants d'amour ?

COMMENT ACCOMPAGNER

Je vous entends déjà ! « Leur intimité est sacrée ! Ne pas rester indifférents mais ne pas nous ingérer. Ne pas devenir nous-mêmes des " quêteux " de confidences ni démissionner. Quel aria ! »

Sincèrement, je crois cette approche tout à fait à la mesure de nos moyens, réaliste et réalisable. Elle suppose néanmoins une manière inaccoutumée de donner et d'être ; un peu comme dans le vieux proverbe : « La façon de donner vaut mieux que ce que l'on donne. »

Nos adolescents souhaitent, je le pense, nous avoir comme compagnons de promenade sur certains de leurs sentiers. Si seulement nous ne les imaginions pas si tortueux, ces sentiers, si seulement nous les laissions marcher dans leurs propres souliers, sans nous mettre dans nos petits souliers…

Pour se parler, il suffit de vivre sur la même planète : regarder la même émission de télévision, lire le même journal, entendre les mêmes potins, avoir vu le même film, partager un repas. Ils n'acquiesceront pas toujours à votre invitation au dialogue. Et puis après ? Si vous ne leur offrez jamais la parole, vous n'aboutirez jamais à rien.

Vous avez noté combien ils sont avides de communication. Pourquoi ne pas essayer de témoigner vous-même de cette valeur bénie ? Ne serait-ce qu'en leur dévoilant, quand cela est à propos, vos propres difficultés.

Tu sais, la vie est compliquée. Depuis ma naissance, on s'est tué à me répéter que les relations sexuelles pour le seul plaisir sont inacceptables. Je suis persuadé du contraire, du moins intellectuellement.

Aujourd'hui, je puis me réjouir que tu sois assez libre pour avoir une vie intime personnelle. Mais ne t'attends pas à ce que je sois toujours à l'aise quand j'y penserai.

Le modèle porno

Vous rentrez à la maison à l'improviste et vous tombez sur votre fils de 14 ans en train de se rassasier d'images pornos avec les copains. Comment réagissez-vous ? Vous criez au scandale et vous vous ruez sur la télécommande pour éjecter la vidéocassette ? Vous feignez de n'avoir rien vu même si les scènes aperçues vous ont éberlué (ou... excité ?) et vous vous éloignez sur la pointe des pieds ? Vous vous joignez carrément à eux ?

Hurler à la honte, c'est donner un coup d'épée dans l'eau. Jouer l'ange qui passe ne fait rien progresser. Prendre le taureau par les cornes en vous invitant au cinéma, c'est profiter d'une belle occasion pour parler de sexualité sur leur terrain.

On suppose qu'environ 30 % des consommateurs de pornographie sont des adolescents. Les condamner ne règle rien, d'autant plus que c'est, hélas ! bien souvent le seul modèle sexuel qui leur soit accessible. Il est beaucoup plus profitable de saisir cette occasion pour leur dire que : dans la vraie vie, c'est pas pareil, que les vraies filles ne tombent pas dans les pommes en regardant les fesses du premier mâle qui passe, que les vrais gars ne sont pas ces détenteurs de pouvoir et de « machin surnaturel », que les êtres humains ne sont pas des machines distributrices d'orgasmes, que la porno projette une image tronquée et avilissante de la sexualité...

Toutefois, si vous tenez un tel discours et que votre adolescent déniche des magazines pornographiques sous le siège arrière de votre voiture, préparez-vous à lui donner quelques explications !

Les jeunes avalent le message pornographique à un âge où ils sont très malléables. Ils partent de bien bas lorsqu'ils essaient de transférer cette vision de la sexualité à leurs rapports sexuels véritables.

Le mythe de la pénétration

Garçons et filles doivent savoir que le septième ciel ne s'ouvre pas comme un cadeau des dieux au moment du rapport sexuel coïtal ; que, avant d'atteindre le septième, il y a, en toute logique, six paliers à escalader ; que si l'amour atteint parfois une sorte de plate-forme stationnaire, il en va de même pour l'excitation sexuelle qui peut, comme un ascenseur, rester coincée entre deux étages ; que chaque personne a un rythme qui lui est propre, et que le gars atteint souvent le sommet pendant que sa partenaire s'ennuie au sous-sol ; qu'il peut être agréable de flâner au deuxième ou de se reposer au troisième, et frustrant pour la fille d'être suspendue au sixième alors que le garçon a déjà dévalé du septième au rez-de-chaussée, vers la sortie.

On ne dit pas assez explicitement aux garçons et aux filles que leur réponse sexuelle respective est à la fois semblable et différente. Que la fille est tout autant capable d'orgasme et de plaisir dans la mesure où le clitoris est adéquatement stimulé ; que le contact pénis-vagin sert d'abord la jouissance masculine par le frottement continu exercé sur le gland par les parois vaginales...

Ce silence perpétue la simulation chez la fille et alimente le culte de la performance chez le garçon. Il entraîne les jeunes qui, paradoxalement, vénèrent la franche communication, à s'offrir des spectacles. Il tue dans l'œuf un possible et réel dialogue.

De plus, ce silence nourrit la croyance qu'il n'y a pas de rapports sexuels sans pénétration. Malgré la révolution sexuelle et les mouvements féministes, on persiste à justifier l'acte sexuel dans une perspective (rétrospective ?) historique et culturelle de reproduction. C'est pourtant un secret de Polichinelle que faire l'amour, c'est aussi et surtout autre chose. Soyons cohérents : combien de rapports sexuels, dans votre vie, ont mené à la procréation ? L'expression sexuelle et affective est un langage de tendresse, de désir, de plaisir ; un jeu de séduction, une recherche, un rapprochement.

Si on sensibilisait les adolescents à cette dimension plus large des relations homme-femme, les rapports sexuels sans pénétration pourraient devenir une voie intéressante à la découverte de nouveaux plaisirs et une solution de rechange non négligeable à la contraception et à la prévention des MTS.

Bien accompagner nos jeunes à ce chapitre exhorterait nos filles à désirer la pénétration plutôt qu'à la subir ! Et nos garçons à découvrir et à explorer d'autres avenues érotiques ! Pas mal, non ?

Et encore de l'amour...

Au milieu du XXe siècle, être amoureux était permis et faire l'amour, interdit. Vingt-cinq ans plus tard, on faisait l'amour sans amour... pour ne pas faire la guerre. Aujourd'hui, les jeunes veulent tout : être amoureux et faire l'amour. Le meilleur des deux mondes. Peut-on les blâmer ?

Mais à force de faire l'amour pour trouver l'amour, ou de tomber amoureux pour se justifier de le faire, ils finissent par s'écorcher le cœur.

Que peuvent faire les parents pour les aider sur ce plan ? Peu et beaucoup. Leur faire confiance, les aimer. Ne pas les surprotéger puisqu'ils sont au cœur d'un nécessaire détachement. Ne pas les ignorer : leur besoin de complicité est alors proportionnel à leur vulnérabilité. Pour établir leurs valeurs, pour consolider leur sentiment de fierté et pour augmenter leur estime d'eux-mêmes, ils ont besoin de vous. Retenez bien cette information, car c'est une donnée à laquelle ils n'ont pas accès, pour l'instant. On dit qu'il faut s'aimer soi-même pour pouvoir aimer. J'ai le sentiment qu'il faut, avant tout, avoir été aimé.

On ne peut faire tellement plus. Être soi-même, avec sa propre capacité d'aimer, ses propres difficultés à aimer. Et surtout, l'amour ne tolère pas tout. Il faut le dire à ses adolescents. Mieux : en témoigner.

Je connais quantité de jeunes qui, à 15 ou 16 ans, ne s'entendent jamais dire des mots tendres et valorisants par leur partenaire prétendument amoureux. Plusieurs se font rabrouer, se font traiter de « conne » ou de « nul » à longueur de temps. Rien de gratifiant, de grandissant ou d'érotisant dans ces relations. La violence n'est pas seulement physique ; les mots détruisent sournoisement.

Parfois, elle est plus insidieuse encore et se distille bien subtilement : regards de mépris, bras serré trop fermement, mutisme ou ignorance de l'autre pour punir, volonté d'isoler le ou la partenaire, ligotage émotif... Une dépendance affective, déjà, qui pousse à tout endurer plutôt que d'être seule. Surtout, ne pas être seul aux yeux des autres !

C'est dans la mesure où notre enfant se sera tricoté une saine et solide estime de soi qu'il sera capable de ne pas tolérer l'intolérable.

L'amour est une belle et grande valeur que la plupart des parents veulent transmettre, que plusieurs associent intrinsèquement à la sexualité, au couple stable. Un malaise surgit quand ils voient leur jeune vivre sa sexualité sans cet engagement amoureux.

Il n'est pas de mon ressort de départager amour, sexualité et engagement. Tout au plus puis-je avancer qu'un regard honnête s'impose. Combien de femmes ont cessé d'aimer leur mari et continuent de faire l'amour avec lui ? Combien de maris ont cessé d'être amoureux de leur femme et leur restent sexuellement attachés et attentifs ?

Un contexte de vie qui réunisse amour, engagement et sexualité épanouie, tous en rêvent, sans nécessairement y accéder.

Et chacune de ces expériences humaines, prise séparément, comporte son potentiel de croissance et de satisfaction lorsqu'elle s'ancre dans le respect et la dignité.

Sous le toit familial ?

Il est une question que les parents d'hier n'avaient pas à se poser et qui concerne ceux d'aujourd'hui : faut-il ou non autoriser son fils ou sa fille à recevoir le petit ami ou la petite amie dans sa chambre ? À ce chapitre, il n'existe pas de cadre de référence et le toit conjugal a traditionnellement abrité un couple et ses enfants et non pas un couple avec ses enfants en couple…

C'est à vous qu'il appartient d'y réfléchir et d'en décider selon vos normes, vos limites et votre ouverture d'esprit. Si vous l'interdisez, tout en sachant qu'ils se payent le motel une fois par semaine avec l'argent de poche que vous lui donnez, expliquez-lui pourquoi vous êtes incapable d'accepter cette situation.

Si cette cohabitation vous gêne trop, si vous avez peur d'être jugé par les voisins, les parents, les amis, dites-le-lui. Ces jugements comptent pour vous et vous dérangent, c'est votre droit. Ce faisant, vous avez le mérite de ne pas faire mine d'ignorer à quoi leur sert la voiture les fins de semaine.

Entre interdire l'entrée du copain ou de la copine et leur servir le petit déjeuner au lit, il y a une marge. À vous de la définir.

La confiance et l'ouverture

Pour le reste, faites-leur confiance. Permettez-leur de trouver leurs propres réponses en vous octroyant le droit de les éclairer dans cette démarche. Soyez attentif au contenu de vos messages à propos de la sexualité. Ces dernières années, sans trop nous en rendre compte, nous projetons un double message. Nous disons aux jeunes que la sexualité est source de croissance et de mieux-être mais nous leur parlons constamment des méfaits, des malheurs et des dangers potentiels qui y sont reliés. Nous avons perdu de vue les prémisses de la sexualité qui sont le désir et le plaisir au profit de ses conséquences fâcheuses.

Quant à la prévention des maladies et des grossesses involontaires, il est plus que souhaitable que votre conduite concorde avec votre discours. Vous devinez que votre fils ou votre fille traverse un épisode de bamboche et vous savez par ailleurs qu'il, ou elle, est renseigné sur tous les risques possibles, ne lui faites donc pas une autre conférence au sommet. Placez plutôt une boîte de condoms à un endroit propice : près de son appareil téléphonique, de son ordinateur, de son système de son, de ses aliments préférés...

L'ouverture se mesure aussi aux gestes.

Je l'ai déjà dit, la plupart des filles connaissent tous les moyens de contraception, théoriquement. Ne vous contentez pas de dire à la vôtre : « Fais attention ! Prends la pilule. » Elle finira par se croire immunisée contre tout avec ce comprimé, même contre les MTS. De plus, un tel message peut être interprété ainsi par l'adolescente : « Tant que tu prends la pilule, tu peux faire ce que tu veux, ça m'est égal... » Et bien sûr, ce n'est pas du tout ce que vous pensez. Alors, ce que vous pensez, dites-le simplement.

La parole du cœur vaut mieux que bien des silences, et je sais pertinemment que le silence des parents a été, indirectement, la cause de bien des grossesses et de nombreuses souffrances liées à la sexualité.

La responsabilité conjointe de la contraception, cela se discute aussi entre un père et un fils, quand bien même le fils dépasserait le père d'une demi-tête.

C'est une lapalissade de dire que la répression sexuelle a engendré malheurs et difficultés. C'est encore vrai aujourd'hui. Elle est encore bien présente sous le déguisement d'une permissivité de façade ; elle vit à travers certains silences.

Toujours la confiance

Un jour, une amie me raconte son bouleversement lorsque Amélie, sa fille de 13 ans, est rentrée à la maison sur une moto avec son cavalier qui en avait 17, mais qui en paraissait 30. Quant à la fillette, elle faisait 16 ans et pensait qu'elle en avait 25.

Les parents étaient consternés. Leur fillette avec ce tatoué !

Leur première tentation fut bien sûr d'éloigner ce monstre de leur enfant, de la sermonner, de la cloîtrer pour la protéger. Mais... la mère se ravise et invite Antoine (le tatoué) à dîner. Surprise : la fille est tout heureuse, le gars se défile.

Les « amoureux » se revoient. Antoine revient à la maison.

La mère finit par convaincre le père qu'Antoine est émouvant et plus inoffensif qu'il n'y paraît. Elle suggère que, au lieu de condamner, ils fassent confiance à leur fille et même à Antoine.

Elle sent que si elle lui fait confiance, il ne la trompera pas.

Et elle a visé juste. Antoine avait un criant besoin qu'on lui fasse confiance. Il a même articulé quelques syllabes, ce qui lui arrivait rarement. « Avec moi, soyez sans crainte, personne ne touchera à un cheveu de votre fille, pas même moi », avait-il dit à la mère, en l'absence du père.

Le duo Antoine-Amélie a duré ce que durent les roses. La petite le trouvait soporifique.

Bon. Vous allez dire que j'exagère, qu'on ne peut pas toujours faire confiance comme ça. Je suis absolument d'accord. Ce que je tente d'illustrer par ce récit, c'est que parfois on n'a pas d'autre solution : faire confiance devient le moindre des risques encourus. Connaissant la fillette, je suis convaincue que les parents auraient couru à la catastrophe s'ils avaient réagi en démolissant psychologiquement Antoine à ses yeux et en brimant leur amitié. Je suis même tentée de croire qu'agir ainsi aurait provoqué une série de comportements réactionnels. Pas de matière à réagir, pas de réaction !

La mère, dans ce cas, a fait confiance à sa fille, à qui elle avait donné le meilleur d'elle-même depuis toujours. Elle a aussi misé sur l'être humain sensible qui se cachait derrière les muscles et les tatouages d'Antoine. Elle n'a pas joué de jeu, elle s'est vraiment laissée attendrir. Et la fille a été touchée par cette ouverture et cette sincérité.

Depuis cet épisode, déterminant selon la mère, la fille a raffermi sa confiance en sa mère...

L'inconvénient au modèle d'éducation sexuelle que je vous propose est le suivant : plus les relations seront franches et ouvertes avec vos jeunes, plus ils se raconteront. Trop peut-être pour votre confort personnel !

L'âge adulte, c'est pour quand?

Enfin, quand donc nos ados seront-ils des adultes?

Le cap fatidique du saut chez les grandes personnes se situe-t-il à 18 ans? À 21 ans?... Je n'en sais rien. Le stade adulte n'a rien à voir avec un état fini, stable, rigide et ennuyeux.

Au tournant du monde adulte, la vie prend une signification différente, avec plaisir, intérêt et responsabilité. C'est le moment où on peut penser vivre seul, s'assumer, créer des liens, des ententes, des collaborations. C'est l'embouchure d'un long couloir où l'on saisit qu'on a une place, la sienne. C'est quand on sait que les choses prennent du temps à se faire, que la vérité est bien relative et qu'elle émerge souvent des erreurs que l'on fait.

On peut être adolescent à 40 ans, fillette à 35. On peut être vieux et usé à 16 ans. Il m'arrive de croiser des couples de cet âge qui se sont formés à 13 ou 14 ans, qui vivent des problèmes d'adultes sans en être: des problèmes d'études, d'argent, de couple, de travail, de boisson ou de drogue, de solitude à deux, parfois à trois, de violence conjugale... Ils ont aliéné leur droit d'être jeunes, de vivre leur adolescence. Ils y reviendront bien tôt ou tard.

Souhaitons-nous la patience de voguer avec nos jeunes sur ce fleuve au long cours, sans brûler d'étapes, à leur rythme. Ne pas les tirer vers l'arrière; ne pas les pousser vers l'avant. Laisser les eaux, même troubles, suivre leur cours.

Je voudrais boucler ce chapitre sur l'accompagnement des adolescents en leur cédant la parole. En 1988, lors du lancement du livre *Pour jeunes seulement,* produit en collaboration avec neuf adolescents, on les avait invités à prononcer un petit discours. Ils ont choisi de le faire en chanson, en mettant leurs paroles sur une musique populaire. Voici un extrait du message qu'ils ont livré aux quelque 500 personnes présentes, parmi lesquelles se trouvaient leurs propres parents, professeurs, etc.

Que voulez-vous qu'les jeunes vous disent
Sexualité, on est concernés
Que voulez-vous qu'les jeunes en pensent
Sida, MTS, ça fait mal aux fesses
Que voulez-vous qu'les jeunes ressentent
En cherchant l'amour dans un vrai labyrinthe de détours
On pourrait vous dire: « Voyons donc j'sais tout ça

Occupe-toi de tes oignons
Laisse vivre ton grand garçon »
On pourrait vous dire : « Arrêtez vos chansons
Bibites, contraception, on connaît la leçon »

On voudrait vous dire : « Parlez-nous d'la beauté
C'est pas toujours tout croche la sexualité »
On voudrait vous dire : « Parlez-nous du désir
Parlez-nous du plaisir avec un vrai sourire »

Il m'arrive encore de présenter cette cassette vidéo à des groupes d'adolescents. Si les jeunes d'aujourd'hui ne se reconnaissent déjà plus dans le look, le code vestimentaire, le maquillage et les coiffures de l'époque, ils partagent sans réserve les attentes et les besoins exprimés par leurs pairs il y a une dizaine d'années. Comme quoi, si la forme est fugitive, les besoins de fond persistent : rien, hélas ! n'a vraiment changé quant aux attitudes des adultes à l'égard de la sexualité adolescente, ni dans les réponses que nous leur fournissons…

Leur donner la parole et entendre cette parole…

Une dernière petite suggestion avant d'aller fureter dans le classeur des dossiers chauds. Avec votre enfant — qu'il ait 5, 10 ou 16 ans —, lorsque vous ne savez vraiment plus que faire, demandez-lui ce qu'il ferait s'il était à votre place.

« Qu'est-ce que tu ferais, toi, si tu étais le parent, pour venir en aide à ton enfant ? » Vous serez ébahi de l'entendre vous donner la réponse. Cette formule, je l'ai maintes fois mise à l'épreuve et proposée. Bien que cela soit théoriquement possible, jamais on ne m'a rapporté que les enfants ont fourni une solution farfelue. Plutôt renversante, souvent…

Un père relate une violente discussion avec son fils de 13 ans. Ce dernier s'en allait à un party et discutait pour rentrer à l'heure de son choix. Le père s'obstinait à lui fixer une heure de retour. Il finit par lui demander :

« Et si c'était toi, le père, que dirais-tu à ton fils ?

— Moi ?... Être le père, j'empêcherais mon fils d'y aller ! »

Estomaqué, le père suivit cette instruction sans trop savoir pourquoi. Un peu plus tard, son fils lui confia qu'au fond il n'avait pas envie de cette sortie : il se sentait obligé d'y aller. S'il fallait en plus qu'il rentre à minuit comme un bébé (aux yeux des autres), c'en était trop.

À 13 ans, c'est dur de dire non aux copains. Presque impossible. Mais quand on dit : « Pas de chance, mon vieux m'oblige à étudier ce soir », on n'y peut rien et on reste, aux yeux de la bande, solidaire...

Suivez leur piste. Chacun porte en soi ses propres réponses.

TROISIÈME PARTIE

Dossiers chauds

Le plaisir est un chant de liberté mais il n'est pas la liberté. Il est une profondeur appelant un sommet mais il n'est ni l'abîme ni le faîte. Il est le prisonnier prenant son essor mais il n'est pas l'espace qui l'enveloppe.
Parmi vos jeunes, certains recherchent le plaisir comme s'il était tout, et ils sont jugés et châtiés. N'avez-vous pas entendu parler de l'homme qui creusait la terre à la recherche de racines et qui découvrit un trésor ?
Et il en est parmi vous qui ne sont ni jeunes pour chercher ni vieux pour se souvenir ; et dans leur peur de la recherche et de la souvenance ils fuient tout plaisir. Mais en leur renoncement même est leur plaisir. [...] Souvent, en vous refusant le plaisir vous ne faites qu'accumuler le désir dans les replis de votre être.
Et votre corps est la harpe de votre âme.
Et il vous appartient d'en tirer musique douce ou son confus.

KHALIL GIBRAN
Le prophète

Dans la dernière division de ce livre, je souhaite apporter un complément d'information sur des questions particulièrement troublantes pour une majorité de parents.

La plupart des thèmes qui suivent ont été abordés dans les pages précédentes en fonction des stades du développement de l'enfant, de la naissance à l'âge adulte : autoérotisme, premier rapport sexuel, plaisir, prévention des abus, des MTS et des grossesses, nudité, pornographie... Ils sont repris ici dans une perspective plus large.

D'autres idées ont été effleurées : concept de normalité, inceste, homosexualité, responsabilité des parents en matière de communication sur la sexualité, etc., et sont reprises distinctement.

Enfin, quelques sujets brûlants seront abordés : traumatismes sexuels, monoparentalité et éducation sexuelle.

Je suis bien consciente que chaque thème pourrait à lui seul être le sujet d'un livre. Je m'y attarderai donc dans les limites du présent ouvrage en resituant la sexualité dans un contexte global de « beau temps », en suscitant chez le parent une réflexion personnelle quant à ses attitudes intérieures et à sa façon de manœuvrer devant les dossiers chauds et les situations particulières qui le touchent ou qui le concernent.

CHAPITRE 8

Les tabous sexuels

Le mot « tabou » signifie, selon *Le Petit Robert,* « système d'interdictions de caractère religieux appliquées à ce qui est considéré comme sacré ou impur ; ce sur quoi on fait silence, par crainte, par pudeur. »

Depuis toujours, le fait sexuel a été marqué du sceau du tabou, à des degrés divers selon les époques, les sociétés et les cultures. Les tabous tirent leur origine de l'intériorisation des conceptions religieuses, sociales, biologiques, culturelles, etc., bref, de la normalité. Exception faite de quelques courants historiques isolés, la sexualité n'a été perçue que dans sa fonction de reproduction de l'espèce. À partir de là, toute expression sexuelle ne visant pas la procréation était assujettie à l'interdit.

Encore de nos jours, l'expression sexuelle de l'enfant et de la personne âgée, l'homosexualité et l'autoérotisme sont fortement tabouisés. Comme par hasard, aucune de ces formes de sexualité ne mène à la procréation…

LA NORMALITÉ AVEC UN GRAND N

« Suis-je normal ? » C'est la question que se pose tôt ou tard chaque adolescent. Normal par rapport à quoi, à qui ?

- À quel âge est-il normal de commencer à faire l'amour ?
- Est-il normal qu'elle se caresse ?
- Est-il normal qu'il joue avec une poupée ?

Les questions qui me sont posées dans le cadre de tribunes téléphoniques à la télévision, dans des lettres ou lors de rencontres avec des groupes de parents renvoient presque inévitablement au concept de normalité. Mais la normalité avec un grand N n'existe pas. Selon les lunettes que l'on met, on parlera d'une normalité biologique, médicale, sociologique, culturelle, statistique, etc. Statuer sur la normalité est un exercice dangereux. Voici un exemple.

- Statistiquement, environ 1 personne sur 10 est gauchère.
- Suivant ce constat, les gauchers ne sont pas « normaux » puisqu'ils sont en dehors de la règle statistique.
- Tibo, l'auteur des dessins illustrant ce livre, est gaucher.
- Tibo serait-il anormal ?

Selon moi, dans le domaine de la sexualité, est normal ce qui est moral, et sont moraux les attitudes et les comportements sexuels fondés sur le respect et le consentement. Dans cet esprit, si notre vision de la sexualité était morale plutôt que normative, et fondée sur des critères humanistes plutôt que culturels ou biologiques, on ne saurait que s'ouvrir à une véritable reconnaissance du droit à la différence.

La grille socioculturelle et médiatique de la norme sexuelle est parcimonieuse. Seuls les hétérosexuels, beaux, jeunes, musclés, riches et bronzés y ont leur place : quelques élus ...

L'AUTOÉROTISME

Le terme « autoérotisme » recouvre l'ensemble des conduites et des pensées visant à se faire plaisir à soi-même. L'érotisme dépasse la sphère génitale et sollicite la participation de tous les sens. Se glisser dans un bain moussant et parfumé peut érotiser sans mener à l'activité génitale. Beaucoup de personnes ont des fantasmes érotiques sans connotation génitale : fantasmes de type romantique ou esthétique non moins excitants et agréables. Question de décodage et de structure personnelle.

L'imaginaire érotique grandit et s'enrichit avec l'accumulation des expériences. Mais les jeunes ont aussi des fantasmes : ils imaginent un rapprochement sexuel avec une personne jugée désirable, une relation affective dans un cadre romantique, se voient irrésistibles pour un partenaire inaccessible...

On peut apprendre, grâce à ses fantasmes, à habiter son désir, à le moduler, à le gérer. Le fantasme sexuel, en termes simples, c'est ce qu'on appelait autrefois une « mauvaise pensée ». Il exprime l'intérêt sexuel, suscite et alimente le désir.

La masturbation ou l'autostimulation représente une seule et même réalité.

Il s'agit là de l'un des tabous les plus résistants prévalant encore dans le domaine de la sexualité. Présente depuis la petite enfance, cette pratique peut devenir plus fréquente avec la puberté et l'apport hormonal qui l'accompagne. La connaissance de soi passe par la connaissance de son corps, et le corps inclut les organes génitaux. Apprendre à connaître son fonctionnement, à être conscient de ses besoins, à se rendre responsable de ses plaisirs, à sortir des comportements de passivité (pour la fille surtout) fait partie de la démarche globale d'autonomie. L'autoérotisme, même s'il renvoie l'individu à lui-même, est souvent vécu comme une recherche d'autrui.

Le levier de la jouissance se situe autant, sinon plus, dans cette recherche de l'autre que dans le geste fait, et la masturbation peut constituer une sorte d'apprentissage de son potentiel sexuel.

On n'est pas anormal si on se masturbe.
On n'est pas anormal si on ne se masturbe pas.

L'important, c'est que le jeune se sente en harmonie avec ses choix et dans ses gestes sexuels.

La plupart des parents ont d'énormes difficultés à parler de cette question. En définitive, il y a peu à dire. Quand vous penserez que votre enfant se masturbe, faites-lui savoir que presque tous les autres en font autant. En effet, les études démontre que 90 % des jeunes se sont adonnés à la masturbation avant 20 ans.

Autre chose : chez la fille, la masturbation contribuerait à réduire les crampes menstruelles. Elle soulage la tension sexuelle pouvant conduire à des rapports sexuels prématurés ; elle ne comporte par ailleurs aucun risque. Avec le sida et les MTS, on aurait pu s'attendre à une montée de sa popularité.

Je sais à quel point l'autostimulation des enfants tracasse les parents. Mais rappelons qu'elle ne devient inquiétante que quand :

- elle se substitue aux autres jeux et intérêts habituels ;
- elle s'exerce dans des lieux inadéquats (école, endroit public...) ;
- elle conduit à la douleur physique.

Encore une fois, l'excès est alors un symptôme et non une maladie en soi. Il est le signe d'un problème d'ordre affectif ou autre à élucider.

Et si le pied gauche était tabou ?

Depuis la naissance de Lisa, sa maman, son papa, tout le monde s'accordait à reconnaître que toutes les parties de son petit corps étaient très belles. Sauf, bien sûr, son pied gauche... Car les pieds gauches étaient tabous. À tout bout de champ, on empêchait Lisa de regarder, de montrer ou de toucher son pied gauche. Si elle faisait mine d'y toucher, sa maman lui changeait les idées ou son père l'envoyait jouer avec sa poupée. Il arrivait qu'il fût particulièrement difficile d'éviter le pied gauche : en prenant son bain ou quand elle restait dormir chez une petite copine qui ne savait pas que le pied gauche était interdit...

Mais les années s'écoulèrent et la plupart du temps, le secret était bien gardé. Lisa grandissait.

À 18 ans, Lisa apprit qu'elle était une femme et pouvait désormais faire tout ce qui lui plairait. Comme elle était très courageuse, elle décida : « Je vais démailloter mon pied gauche et je vais m'en servir ! »

Hélas ! Lisa boita toute sa vie[35].

L'HOMOSEXUALITÉ

Environ 1 personne sur 10 est gauchère. Elle s'oriente dans l'espace, appréhende son environnement, développe son adresse à partir de son « aile » gauche. Elle doit constamment s'ajuster au monde de droitiers dans lequel elle vit et s'efforcer d'y évoluer harmonieusement avec sa différence. Environ 1 personne sur 10 a une orientation homosexuelle. Son intérêt sexuel et érotique va vers ceux ou celles de son sexe, elle développe une attirance envers ses semblables et doit s'adapter à un monde constitué en majorité d'hétérosexuels. Les gauchers ne sont pas anormaux ; les homosexuels le seraient-ils ?

L'être humain, homme ou femme, est un alliage mystérieux de féminin et de masculin, diversement dosé d'une personne à une autre. C'est ce qui nuance, enrichit et rend unique chaque personne. La nature humaine présente une pluralité d'expressions, d'activités,

35. Je me suis inspirée librement des propos de Wells (ouvr. cité).

de manières d'être, d'orientations et de pensées, et c'est ce qui fait son originalité.

Quelles sont les causes de l'homosexualité, si causes il y a ? Personne n'en sait strictement rien. Aucune étude ou recherche n'a pu apporter de conclusions définitives à cet égard. Plusieurs facteurs ou combinaisons de facteurs pourraient intervenir dans la genèse de l'orientation sexuelle. Des hypothèses, juste des hypothèses... Échafauder des hypothèses pour statuer sur la normalité ou l'anormalité d'une inclinaison sexuelle, c'est comme hypothéquer des échafaudages ; c'est aussi hasardeux. Vous êtes-vous déjà demandé pourquoi vous étiez hétérosexuel ? La nature ? Que savez-vous de l'influence exercée par votre milieu, par la famille, les modèles, le contexte culturel, l'éducation... ? Tout cela réuni a fait de vous un homme ou une femme sexuellement attiré par les personnes de l'autre sexe. Les mêmes variables dans un autre contexte ont pu conditionner une autre personne à tendre vers celles de son sexe.

Moi, je suis hétérosexuelle et, en toute honnêteté, je ne sais pas pourquoi. Je sais seulement que c'est ainsi, que c'est fort, plus fort que ma volonté. Alors, je suppose qu'il en va de même pour l'homosexualité...

Il fut un temps où on tentait désespérément, à coups de bâton sur les doigts, de transformer les gauchers en droitiers. On ne réussissait qu'à les pervertir, à faire d'eux des ambidextres mésadaptés. Longtemps, des thérapeutes prosélytes ont œuvré à la conversion des homosexuels. Inutile. Aussi contre nature que de tenter de devenir gaucher quand on est droitier. Les batailles théoriques sur le caractère inné ou acquis de l'orientation sexuelle ont sans doute quelque intérêt scientifique. Elles ne rendent pas les gens plus heureux, ni plus vivable le monde dans lequel nous vivons. Elles ne bonifient pas l'humanité.

Combien de fois ai-je senti chez les parents la hantise de l'homosexualité ? « Que pouvons-nous faire pour la conjurer ? » demandent-ils subtilement.

« Comment dire à mon père que je suis séropositif ? me disait récemment un jeune homme. Il ne sait même pas que je suis gay ! » Traduction : « Mes parents préfèrent me savoir mourant qu'homosexuel ! »

À ma connaissance, aucune méthode éducative ou thérapeutique, aucune incantation magique ne peut détourner un être humain de son orientation sexuelle. Nous ne pouvons que nous employer à conjurer nos phobies, à écarter de nos attitudes celles qui freinent l'acceptation, l'accomplissement, l'aptitude au bonheur.

La seule chose à faire, c'est de laisser l'enfant se développer librement sans le contraindre à entrer dans des rôles sexuels préconçus.

Laissez votre fils serrer une poupée sur son cœur en chantonnant « comme une fille » si cela lui fait plaisir. Si vous réprimandez votre fille qui s'est battue, dites-lui que c'est la violence qui est inacceptable et non pas le fait qu'une fille se chamaille. Ne vous moquez pas de votre petit qui joue à la marelle avec les fillettes ou de votre adolescent parce qu'il lit de la poésie. Ne dénigrez pas votre adolescente si elle ne correspond pas aux modèles féminins des magazines de mode ou si elle veut devenir pilote de brousse.

Il n'y a là ni symptôme ni source d'homosexualité ou d'hétérosexualité. Et pleurer, souvenez-vous-en, est une caractéristique typiquement humaine. Il n'y a que les animaux qui ne peuvent verser de larmes. (Peut-être le feraient-ils si leur physiologie le leur permettait.)

L'orientation sexuelle se précise souvent à l'adolescence. Quand vous aurez acquis la certitude que votre enfant est homosexuel, quand vous aurez observé chez lui ou chez elle un intérêt prolongé pour les gens de son sexe, vous serez placé devant une alternative : l'exclure, le rejeter et vous rendre malheureux, vous et lui, ou l'accepter tel qu'il est.

Il n'y a pas de troisième voie !

LE PLAISIR SUSPECT

Pourquoi revenir sur le plaisir au chapitre des tabous ? Parce qu'il est suspect.

La très vaste majorité des gens ont une vie sexuelle pour le plaisir et la satisfaction qu'ils y trouvent tout en continuant de désavouer cette valeur. Partout où j'ai eu à recueillir des renseignements afin de situer les valeurs du milieu, le plaisir se classait bon dernier — quand il prenait place dans l'échelle des valeurs ! Plus souvent qu'autrement, il était joyeusement esquivé.

Si l'expression sexuelle des enfants, des personnes âgées, l'homosexualité et les activités autoérotiques sont encore si taboues parce que non liées à la reproduction, force est de reconnaître qu'elles suscitent la désapprobation sociale en raison de leur unique fonction de plaisir.

La difficulté que l'on éprouve à accueillir le plaisir comme valeur ne viendrait-elle pas du sens étroit accordé à ce mot? Le plaisir n'est-il pas restreint, dans l'esprit de tout un chacun, à la jouissance physique génitale? Oublions-nous que le plaisir, c'est toute une expérience de croissance personnelle et de communication liée au langage sexuel qui participe au développement intégral de l'individu?

Chez l'enfant, c'est l'éducation au plaisir qui donne un sens au fait de grandir. L'orientation principale de la vie est d'aller vers le plaisir et de repousser la douleur. C'est pour ainsi dire biologique parce que, en s'inscrivant dans le corps, le plaisir développe le bien-être et la vie de l'organisme. Le parent est pour le bébé une source de plaisir qui le maintient en vie en comblant ses besoins de nourriture et ses besoins sensoriels et affectifs.

L'enfant qui grandit entouré d'adultes qui prennent plaisir à vivre et à exercer harmonieusement les activités vitales propres aux êtres humains se branche solidement sur la vie et *pour* la vie.

> Plaisir au sens d'une jouissance de plus en plus humanisée, de plus en plus partagée avec les autres êtres humains. [...]
> La jouissance physique se situe à une place qui est sans cesse mutante, de palier en palier! Car si le plaisir se répétait, toujours le même, cela deviendrait l'équivalent d'un besoin[36].

La réponse au besoin satisfait le corps; la communication avec l'autre satisfait l'être humain qui a le don extraordinaire de créer par le langage: langage verbal, gestuel, tactile, visuel, auditif...

> Tout ce qui permet de ne pas se sentir seul en découvrant et en sentant la façon dont un autre appréhende le monde et dissipe ses angoisses[37].

Est-il utile de rappeler que les principaux désordres de la personnalité découlent d'une incapacité de ressentir le plaisir? Les psychiatres et les thérapeutes qui tentent d'aider des personnes dépressives, frustrées et insatisfaites de l'existence sont impuissants à éliminer ces souffrances s'ils ne s'attellent pas d'abord à restaurer chez elles l'aptitude au plaisir.

---

36. Dolto, F., ouvr. cité, p. 94.
37. Dolto, F., ouvr. cité, p. 95.

« Inconscience ! pensez-vous. Peut-on, à l'heure où les personnes porteuses du VIH sont de plus en plus jeunes, tenir à nos enfants et à nos adolescents des propos sur le plaisir ? » Bien sûr, et à plus forte raison, puisque le mouvement vers le plaisir est aussi un mouvement vers la vie, et vers la vie à protéger. Nous resterons coincés dans un cul-de-sac, en matière d'éducation à la sexualité, aussi longtemps que nous ne déciderons pas de revenir sur nos pas pour mieux repartir. Ce qui est paradoxal, c'est de parler du plaisir pour la première fois à l'heure du sida. Le fait qu'on l'ait muselé aussi longtemps est inconcevable !

Lors d'un sondage[38] mené en France vers la fin des années quatre-vingt, on demandait à 400 jeunes de 15 à 20 ans : « Lorsque vous êtes amoureux, pensez-vous ou non au sida ? » Près de 60 % ont répondu NON. Dix ans plus tard, la pensée magique prévaut encore : d'un côté et de l'autre de l'Atlantique, les jeunes persistent à se comporter comme si l'amour avaient des propriétés immunisantes.

Provocation de leur part ? Ils se croient invincibles ? Ciblés comme ils le sont par toutes les campagnes de prévention, peut-être en ont-ils simplement assez d'entendre parler presque exclusivement des malédictions imputables aux comportements sexuels. L'épouvantail qui leur est brandi est déjà bien menaçant, ne pourrions-nous pas laisser sa place au plaisir, comme à la prudence, dans le modèle sexuel que nous leur proposons ?

Plaisir de donner et de recevoir. Plaisir qui passe, chez les jeunes, par l'attention à l'autre, et qui constitue déjà une forme de respect et un pas vers la maturité et la responsabilité. Plaisir et satisfaction de ne pas se laisser paralyser par la peur d'être pleinement vivant.

Il faut avoir le courage de se demander si nos propres préjugés ne constituent pas le handicap majeur entravant le processus de responsabilisation sexuelle des jeunes.

Il ne sert à rien qu'un enfant connaisse le nom des pièces anatomiques si la fantaisie a fait sa valise. Il est inutile qu'un adolescent sache le nom des maladies transmissibles sexuellement si le sens de la fête a disparu. Une « année du sida » reste vaine si on ne donne pas à nos enfants le goût de proclamer la vie et de célébrer l'être humain.

38. *Famille magazine*, vol. 11, 1988.

Le plaisir, le désir, la séduction, l'attrait, l'amour, l'orgasme, le rapprochement, les sensations, l'orientation sexuelle : ce sont là les prémisses de la sexualité et voilà ce qui intéresse nos jeunes. Empressons-nous donc de les remettre à l'ordre du jour !

CHAPITRE 9

L'exploitation sexuelle

L'exploitation sexuelle revêt différentes formes de comportements abusifs contraires à la dignité humaine. Harcèlements, agressions, abus, inceste, utilisation d'enfants dans la pornographie et dans la prostitution, violence conjugale, ce sont là autant de visages de l'exploitation sexuelle.

Nous traiterons ici des formes d'exploitation concernant directement l'enfance et l'adolescence dans le but d'aider les parents à amener leurs enfants à se protéger.

LES ABUS SEXUELS[39]

Dans 70 % des cas, la victime d'abus sexuel commis durant l'enfance est une petite fille. Neuf fois sur 10, l'agresseur est un homme[40].

Dès 1984, le rapport Badgley[41] révélait qu'une fille sur deux et un garçon sur trois avaient été victimes, au Canada, d'un ou de plusieurs abus sexuels. Quatre fois sur cinq, l'abus sexuel a lieu pour la première fois pendant l'enfance ou l'adolescence et trois enfants sur

---

39. Voir « Petit jeu de prévention » dans le chapitre 4, p. 79.
40. Bégin, P., *L'exploitation sexuelle des enfants: mémoire retrouvée ou faux souvenir?*, Ottawa, 1994.
41. Rapport du Comité sur les infractions sexuelles au Canada, Ottawa, vol.1, 1984.

cinq ont été forcés physiquement ou menacés par leurs agresseurs. Presque toujours, les agresseurs sont des personnes connues de l'enfant (grand-père, oncle, ami de la famille, voisin, enseignant, gardien, moniteur sportif...). Et ce sont ces abus, commis par des proches, qui sont le moins rapidement dévoilés. Pourquoi ? Parce que l'enfant a peur, parce qu'il a honte et, plus insoutenable encore, parce qu'il aime la personne qui exerce un chantage sur lui.

« Ta maman sera très triste, elle tombera malade et mourra », disait un homme à sa nièce de six ans dont il a abusé durant plusieurs mois. La petite gardait le secret afin de maintenir sa mère en vie !

Il est inconcevable que tant d'enfants croient que n'importe quel grand a tous les droits sur eux ! Renseignez-les en ayant soin de ne pas miner la crédibilité de tous les adultes qui interviennent auprès d'eux. Notre société a enfin décidé de ne plus tolérer les abus sexuels, bravo ! Il s'agit maintenant d'insérer l'action préventive dans une démarche éducative globale. Prenez conscience que :

- beaucoup d'enfants entendent parler de sexualité pour la première fois sous l'angle des abus ;
- les enfants sont de plus en plus sensibilisés à la dimension *exploitation* sexuelle et rarement à la dimension *épanouissement ;*
- certains programmes sèment le doute, de manière plus ou moins perceptible et sans aucun discernement, sur la crédibilité des adultes ;
- certaines interventions amènent l'enfant à considérer comme dangereuse toute situation sexuelle et à confondre abus et jeux sexuels entre enfants.

Ajoutez à cela le fait que les enfants sont régulièrement témoins, par l'entremise des médias, d'arrestations et de condamnations pour abus sexuels envers des enfants de têtes de proue masculines (entraîneurs sportifs, animateurs de camps de jeunes, curés de paroisse, télé-évangélistes...), et le tableau est complet. Et ignoble.

Les contenus des programmes de prévention et d'éducation, et la manière dont ils sont abordés, sont révélateurs de notre conception de la sexualité et des ambiguïtés que nous véhiculons. L'empressement de certains milieux à élaborer des stratégies de sensibilisation aux abus sexuels destinées aux enfants, alors qu'ils se défilent quand il s'agit d'assumer des projets d'éducation sexuelle plus larges, devrait être remis en question.

Aucun enfant n'est totalement à l'abri des prédateurs sexuels. Certains sont néanmoins plus vulnérables : ceux qui manquent d'affection (les pédophiles présentent le plus souvent une image « correcte », gentille et affectueuse), ceux qui sont « boulimiques » d'attention, ceux qui viennent d'un milieu où la communication et l'éducation sexuelle sont inexistantes.

L'enfant qui garde le silence sur l'abus sexuel dont il est victime le fait pour protéger son entourage, pour préserver son équilibre : pour oublier, minimiser, nier ou censurer les gestes coupables. S'il vous arrivait d'observer chez votre enfant un changement marqué de comportement ou une combinaison des indices suivants : régression, troubles du sommeil, crainte inhabituelle envers certains adultes, refus de se dévêtir dans certains lieux ou de se déshabiller pour dormir, aversion pour le contact physique, allusions au fait qu'il est le préféré d'Untel, peur inusitée de certains endroits, maladies somatiques, irritations ou infections des organes génitaux, intérêt insolite pour les activités sexuelles adultes, déclarations faisant allusion à des situations sexuelles précises..., vous devez, sans prendre le mors aux dents, poser certaines questions et vérifier, avec tact, le bien-fondé de vos soupçons. Si vous ne vous sentez pas suffisamment outillé pour faire cette première approche sans brusquer l'enfant, allez chercher l'aide d'un professionnel qualifié. Faites ce premier pas seul pour commencer.

Si vous éprouvez le sentiment persistant que quelque chose ne va pas, ne vous laissez pas intimider par des proches qui vous disent que vous hallucinez ou que vous êtes hystérique.

Si votre enfant vous confie qu'il a été l'objet de sollicitation sexuelle ou d'abus, croyez-le. Les fausses déclarations en ce domaine sont rarissimes chez les enfants et, vraisemblablement, inexistantes chez les tout-petits. Le cas échéant, il est de votre devoir, non seulement de le soustraire à toute récidive, mais aussi de lui fournir une interprétation de ce qu'il a vécu et de l'éveiller à une autre vision de la sexualité.

Les enfants victimes d'abus sexuels subissent des préjudices affectifs graves et ont besoin d'être aidés. Toute situation d'abus sexuel d'enfant doit être signalée sans délai au directeur de la protection de la jeunesse.

L'attitude des membres de la famille est toujours capitale : au moment de prévenir, pour que l'enfant assimile l'idée de se protéger sans être bouleversé ; au moment de réparer, afin de ne pas aggraver son sentiment de culpabilité et de le délester du poids de la faute.

L'INCESTE

Un mot qui fait froid dans le dos. Qui dérange. Qui laisse dans son sillage un arrière-goût amer, une impression gluante de gestes coupables et traumatisants. On a mis longtemps à voir, à reconnaître et à nommer les gestes qui se cachent derrière.

Les spécialistes de la protection de la jeunesse estiment que plus de la moitié des délits sexuels perpétrés sur les enfants surviennent à l'intérieur de la famille. Bien que le nombre de cas d'inceste dévoilés augmente dramatiquement, l'acte incestueux reste le fait d'une minorité de familles, le fait de parents, de pères surtout, malades et à l'esprit dérangé. Le comportement incestueux indique toujours, à mon sens, une grave défaillance psychologique, un dérèglement d'adultes dont les enfants font les frais. L'inceste est un phénomène qui existe depuis toujours ; on le retrouve dans toutes les couches socioéconomiques et il y a une nette prédominance de cas d'inceste impliquant un père et sa fille.

Des études effectuées par le Comité de la protection de la jeunesse révèlent que des enfants de tous âges sont victimes d'inceste, y compris des bébés, et que l'âge moyen des victimes de l'inceste est d'environ 10 ans.

Certaines manifestations physiques et comportementales peuvent nous permettre de soupçonner la présence d'activités sexuelles précoces et malsaines : douleurs et infections génitales, énurésie, fugues, actes de délinquance, menaces de suicide, claires ou voilées, prostitution, intérêt inhabituel ou disproportionné pour les choses sexuelles, refus ou peur de se retrouver seul ou allusion à un secret avec telle ou telle personne...

C'est quand se manifestent les signes avant-coureurs, les indices symptomatiques de son attrait pour l'enfant — si inoffensive que puisse sembler au parent cette inclination —, que celui-ci devrait, sans tarder, aller se faire aider.

Je m'étonne que la société n'ait pas encore instauré des programmes de prévention des conduites incestueuses destinés aux adultes ! On fait de la prévention auprès des enfants, victimes virtuelles, mais aucune prophylaxie de la « maladie » auprès des « incestueux » potentiels et de leurs conjointes.

La peur de l'inceste n'est pas l'inceste

Au terme d'une conférence que je donnais à un groupe de parents sur la sexualité des enfants, un homme insiste, troublé, pour que je lui accorde quelques minutes. Il me raconte que sa fille de neuf ans vient parfois les rejoindre au lit le samedi matin et qu'il n'y avait habituellement aucun problème. Or, un matin, voilà que, en serrant sa fillette dans ses bras, il s'est retrouvé en érection...

Il poursuit, dérouté, au bord des larmes. « Quel monstre faut-il être pour être excité sexuellement par son enfant ? »

Il avait évité, depuis cet incident, tout contact physique avec sa fille.

De prime abord, j'ai douté avoir affaire à un père incestueux. Ceux-ci ne courent pas les conférences sur la sexualité de l'enfant et ont une peur bleue des sexologues ainsi que de toute personne susceptible de les démasquer.

Après avoir revu ce monsieur, à sa demande, j'ai eu la certitude (dans la mesure où on peut être certain) qu'il ne passerait pas à l'acte. Le parent incestueux présente généralement certaines caractéristiques. D'abord, il n'en parle pas. Quand l'inceste est dévoilé, il a tendance à banaliser ses gestes ainsi que leurs conséquences ; il est inconscient ou refuse de prendre conscience de la portée destructrice de ses actes. Il ne consulte pas de spécialiste, à moins d'y être obligé, puisqu'il nie le préjudice grave causé à l'enfant. Il va parfois jusqu'à accorder une valeur « éducative », « initiatrice » à sa conduite.

Dans le cas qui nous occupe, il s'avéra que cet homme n'avait pas été excité sexuellement *par* son enfant mais qu'il avait réagi sexuellement *en sa présence*. C'est une nuance non négligeable. Un père aussi conscient que l'inceste blesse et dégrade, aussi attentif à sa propre réaction, aussi soucieux de comprendre et de ne pas nuire est rarement celui qui deviendra incestueux. Il aura plutôt tendance, comme dans cette histoire, à se soustraire aux contacts affectueux. Or, cette retraite n'est pas nécessairement souhaitable puisqu'elle risque d'être interprétée par l'enfant comme un rejet.

Une fort belle femme de 38 ans raconte : « Au chevet de mon père mourant, je me suis vidé le cœur : "Pourquoi ne m'as-tu jamais donné d'affection, serrée dans tes bras, caressé les cheveux?... Tu disais que tu m'aimais mais je ne l'ai jamais ressenti. "»

Réponse inattendue du père: c'est sa peur de l'inceste qui l'avait empêché de manifester son affection.

Le fantôme de l'inceste

Il y a la réalité de l'inceste. Il y a la phobie de l'inceste, spectre qui nous pousse sur une pente dangereuse. Une véritable panique s'empare aujourd'hui de quantité de mères. J'en connais qui épient le moindre comportement de leur conjoint à l'endroit de leur fille. Drôle de climat familial et amoureux.

Je rencontre également bien des femmes troublées ou obsédées par ce fantôme.

«J'ai envie de faire une psychanalyse ou une thérapie sous hypnose, me dit Diane, une femme de 35 ans, solide et équilibrée.

— Et pourquoi cela?

— Pour savoir si j'ai été victime d'inceste.

— Et qu'est-ce qui te fait croire que tu aurais pu l'être?

— Je ne sais trop. C'est tellement répandu. Y'a des trous noirs dans mes souvenirs d'enfant. Peut-être ai-je fait tomber des voiles pour me protéger, pour ne pas me souvenir. Plus je lis là-dessus, plus mon père me paraît bizarre... »

Le fait d'avoir «survécu» à une relation incestueuse ne saurait devenir une mode.

Que dire de ces pères affectueux et sains qui ne savent plus comment prodiguer leur tendresse à leurs enfants, qui ont le sentiment d'être épiés avec suspicion par leur entourage? Certains ne savent plus comment se comporter: «Puis-je continuer de prendre mon bain avec ma fille?» ou «Comment interprétera-t-on le fait que je cajole mon fils?» Il serait regrettable que de telles appréhensions entraînent les papas à réduire les contacts chaleureux avec leur marmaille. Au contraire, elles peuvent et doivent générer des effets positifs en ouvrant le dialogue sur la question.

Oui, l'inceste est grave. Il faut prévenir les enfants à son sujet et être à l'affût. Première chose à faire pour contrer ce fléau: ne pas laisser son ombre nous faire perdre les pédales et nous empoisonner la vie. Votre conjoint exprime ses besoins sexuels et vit sa sexualité avec une personne adulte (vous, sans doute), ne vous mettez donc pas martel en tête parce qu'il s'émeut devant la beauté de votre fille. Quoi de plus naturel ? Trouver ses enfants « désirables » et susceptibles de provoquer l'attrait et le désir d'autrui n'indique aucune dépravation. L'alarme sonne avec le désir, l'attraction, le fantasme, le goût de séduire ou la réaction sexuelle du parent à l'endroit de l'enfant. Dès cette alerte, il faut s'arrêter, réfléchir et surtout, se faire aider.

La réalité de l'inceste, si lointaine et étrangère qu'elle puisse paraître à la plupart d'entre nous, nous concerne tous et toutes. La loi l'interdisant est universelle et sa portée est considérable : l'enfant doit quitter sa famille et créer des liens ailleurs. Il doit être en mesure de le faire !

Les agrafes parentales

Si le passage à l'acte incestueux demeure le fait d'une minorité, l'attitude incestueuse « subliminale » est monnaie courante dans bien des familles.

Je pense à ces cordons ombilicaux jamais coupés, à ces climats qui retiennent et n'aident pas à grandir. Il y a des liens, de la glu, des agrafes en trop qui freinent, qui empêchent l'oiseau de voler de ses propres ailes.

Combien de garçons de 10 à 12 ans se perçoivent comme les protecteurs, les amants symboliques de leur mère ! Combien de filles deviennent les compagnes indéfectibles et serviles d'une mère qu'elles craignent d'« abandonner » à sa solitude ! Si les relations de ce genre ne sont pas le fait exclusif des mères monoparentales, il faut avouer qu'elles sont plus fréquentes dans cette situation.

Malgré la présence des femmes sur le marché du travail et le rôle qu'elles jouent dans les domaines économique, politique et social, nombreuses sont celles qui investissent la plus grande part de leur vie affective dans leur enfant, convaincues d'agir ainsi pour de bonnes et nobles causes. Dans un contexte de vie où l'espace affectif est entièrement habité par la relation mère-enfant, celui-ci finit par porter sur ses frêles épaules la responsabilité de rendre sa mère heureuse.

François fait partie de ces enfants épinglés par l'amour maternel.

Il quitte sa mère trois fois l'an pour rendre visite à son père qui vit à l'étranger. À chacun de ses rares départs, il est bouleversé et somatise son trouble... Tout le reste de sa vie se déroule presque exclusivement avec sa mère: loisirs, vacances, courses, repas, etc. Il dort aussi dans le lit maternel régulièrement. Il n'a jamais connu à sa mère d'ami intime, d'amant ou d'amoureux...

Relation toxique pour les deux parties, dont elles ne s'extirperont pas sans peine. Loin de moi l'idée qu'il faille s'imposer un amant ou un conjoint dont on n'a ni envie ni besoin. Que l'on choisisse ou que l'on subisse de vivre seule avec son enfant, l'espace affectif inoccupé par un autre adulte doit rester « vacant ». Cette zone d'intimité relationnelle appartient à un alter ego potentiel, pas à l'enfant ! On ne doit en aucun cas attendre de l'enfant qu'il comble les besoins psycho-affectifs du parent. Par-delà le lien du cœur qui l'unit à son père ou à sa mère, le jeune a son propre territoire émotionnel à explorer, à bâtir, à vivre à l'extérieur du giron familial.

Je ne prétends pas que la mère a le monopole d'une telle dynamique. Si les pères avaient la charge de leurs enfants dans les mêmes proportions, de telles situations se présenteraient fort probablement aussi de leur côté.

Protéger son enfant, le prémunir contre les abus, c'est d'abord refuser soi-même d'abuser de son pouvoir sur lui ou sur elle.

LA PORNOGRAPHIE

Elle est si insidieuse qu'elle mérite qu'on s'y attarde. C'est pendant la jeune adolescence que se structure l'imaginaire. Pour nourrir ses rêves d'éventuelles relations intimes, le jeune cherche du « matériel ». Le garçon se tourne vers la porno, les filles nagent bien souvent dans l'« eau de rose ». Deux mondes parallèles qui les éloignent.

Une collègue raconte :

J'ai eu en consultation un gars de 24 ans, incapable d'avoir des relations sexuelles avec ses partenaires féminines. Depuis l'âge de 14 ans, il s'enfermait, fumait du hasch et consommait de la porno presque quotidiennement. À 17 ans, à sa première relation sexuelle, il a trouvé ça « plate à mort » et a été incapable de « performer ».

Le plaisir venait seulement s'il s'alimentait à des fantasmes violents. Il s'était créé une accoutumance, une insensibilisation. De la porno douce à la porno plus dure, il en était venu au snuffcore *qui donne dans les actes criminels : femmes tuées, mutilées, dépecées sur vidéo.*

Un gars qui se masturbe devant des meurtres de femmes…, aucune relation avec une fille ne peut l'amener à la « hauteur » de cet abîme-là.

C'est un cas extrême, certes. Tous les adolescents ne collent heureusement pas à cette histoire. Mais tous ceux qui consomment de la pornographie avalent le modèle qu'elle propose, en s'excitant, en se masturbant, en jouissant. Et la fille avec laquelle ils feront l'amour a de bonnes chances, elle, d'avoir digéré quelques romans Harlequin…

Deux sources saines peuvent pourtant alimenter les expectatives des adolescents et leur imaginaire érotique : la présence dans leur vie d'hommes et de femmes bien dans leur peau, sexuellement épanouis et ouverts au dialogue sur la sexualité, ainsi qu'une éducation à la dignité sexuelle et affective qui inclut le droit au plaisir et à la sensualité.

Je me demande parfois quand nous cesserons de nous aveugler. Les levées de boucliers qu'entraînent les projets d'accessibilité au condom (machines distributrices dans les écoles) ou les programmes d'éducation sexuelle axés sur la dignité, la responsabilité et le droit au plaisir me consternent. Le matériel pornographique se déploie, toutes voiles dehors, dans l'univers de nos enfants, et c'est à peine si nous réagissons. La sexualité présentée de façon saine et relationnelle est si inhabituelle qu'elle nous scandalise et nous paraît anormale alors que le marketing pornographique (en forme de signe de $) fait si bien son boulot que nous finissons par trouver ordinaire sa présentation de la sexualité… Et quand, dans un soubresaut de lucidité, nous y réagissons, c'est pour nous en indigner sans oser proposer de véritables solutions de rechange.

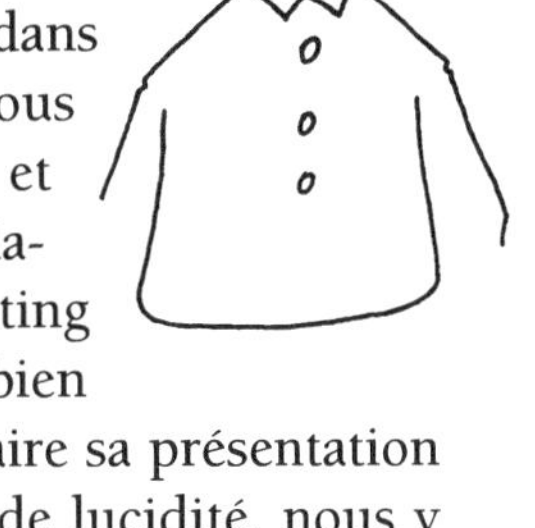

L'accoutumance à la porno nous a-t-elle atteints au point de nous empêcher de suggérer à nos jeunes d'autres modèles sexuels que, tout compte fait, nous connaissons bien peu nous-mêmes ?

C'est le temps ou jamais de faire connaissance avec ces modèles sexuels qui se terrent en nous, de les étaler en pleine lumière. D'autres modèles, s'il vous plaît. C'est urgent !

Petits consommateurs dominicaux de la porno parentale

Enfin, un mot sur la pornographie tombée par inadvertance entre les mains, sous les yeux et dans les oreilles de jeunes enfants.

Vous consommez vous-mêmes du matériel pornographique à l'occasion ? C'est votre liberté mais, pour l'amour (c'est le cas de le dire !), prenez soin de ranger la cassette-vidéo hors de la portée des enfants avant d'aller vous coucher ! Comme vous le faites pour tout autre produit domestique toxique. L'image 3X est absolument perturbatrice pour un jeune enfant.

Imaginez-vous l'impact que produisent sur un tout-petit la vue en gros plan d'organes génitaux adultes, d'activités de fellation et de cunnilingus, la signature éjaculatoire, les scènes sexuelles de groupe, les amas de sexes grossis et sans tête ? J'ai trop souvent été consultée par des mères paniquées dont les bambins avaient eu le loisir de visionner du matériel porno avant le lever des parents. Les petits ne parlaient plus que de ces images, pendant des semaines et à tout le monde... Les parents désespéraient de jamais pouvoir atténuer l'influence de ces scènes sur la structuration et l'imaginaire sexuels de leur enfant.

J'ai connu des enfants qui se sustentaient le dimanche matin, en suçant leur pouce ou en mangeant leurs *corn-flakes,* avec le film porno que s'étaient offert leurs parents la veille. Deux de ceux-là (des frères) avaient été retirés, par leurs parents, d'un programme d'éducation sexuelle scolaire que je dispensais, sous prétexte qu'ils « n'avaient pas besoin d'en savoir autant ». Allez donc y comprendre quelque chose...

Vous croyez que la sexualité est autre chose qu'une activité de loisir monnayable ? Vous souhaitez qu'on ne l'enferme pas dans l'enclos pornographique ? Vous désirez qu'elle ne soit pas maintenue à l'écart de la vie, de la beauté, de la relation humaine ? Affichez-le donc ouvertement, cachottier que vous êtes ! Enfants et adolescents ne s'en porteront que mieux !

CHAPITRE 10

La communication : responsabilité des parents

La responsabilité sexuelle, c'est l'obligation morale, intellectuelle et humaine d'assumer sa réalité sexuelle et ses conséquences sur soi et sur autrui. La responsabilité des parents en éducation à la sexualité, c'est de témoigner de cette nécessité, c'est d'aider le jeune à cheminer dans cette direction.

Le langage et la communication entre parents et enfants sont les voies royales du processus éducatif et la responsabilité d'établir le dialogue incombe à l'adulte. La densité affective du rapport avec ses parents rend l'adolescent hésitant, voire incapable d'amorcer le dialogue sur les questions sexuelles. Il craint d'être jugé, de susciter des inquiétudes et de vives réactions. Le parent est dans une position moins vulnérable. Une fois qu'il a dissipé son sentiment d'avoir perdu toute influence auprès de son enfant, qu'il a surmonté le malaise découlant justement de l'absence de dialogue sur la sexualité, qu'il a reconnu l'intérêt et les préoccupations des jeunes en ce domaine, il ne lui reste qu'à pousser la porte déjà entrebâillée qui mène à la rencontre.

Dans la situation où je suis, tantôt avec des jeunes, tantôt avec des parents, je sais que des deux côtés on espère que l'autre poussera cette porte… Il me semble que c'est au parent qu'il appartient de convier l'enfant à un tel partage.

LA LUMIÈRE ET L'ESTIME DE SOI PAR LES MOTS

Je ne m'attarderai qu'un bref instant sur le langage sexuel et sexologique qui a été examiné au chapitre sur la petite enfance.

Certains événements et circonstances ont sombrement témoigné des problèmes engendrés par l'ignorance d'une terminologie sexuelle adéquate.

Il y a quelques années, un journal américain, relatant un abus sexuel commis sur une fillette, rapportait que celle-ci avait déclaré qu'« on lui avait fait mal là où elle allait à la toilette ».

Les accusés se défendirent en prétendant que l'enfant faisait probablement allusion à une petite fessée ou à une occasion où ils avaient dû lui essuyer les fesses souvent à cause d'une colique[42].

Nul ne peut rendre compte, de façon cohérente, qu'il a été victime d'un abus sexuel s'il ne connaît pas le vocabulaire pouvant rendre explicite ce qu'il a subi. Pas plus d'ailleurs si les mots sexuels ont pour lui ou elle une connotation d'interdit, de gravité, de drame...

Pourtant, le simple fait de nommer, de mettre des mots justes sur ce qu'il a subi, permet à l'enfant d'être compris sans ambiguïté et a de multiples effets. Dans un premier temps, il se sentira partiellement libéré. Ensuite, il sera apaisé de constater que, malgré la portée et le sens de ces mots, il est cru et accepté, lui, si petit à côté de l'adulte. Les mots vont loin, plus encore ceux que l'enfant prononce lui-même ; ils contribuent à effacer honte et culpabilité, à restaurer l'estime de soi. De plus, énoncer qu'une situation, si souffrante fût-elle, a existé permet de croire qu'elle puisse ne plus exister...

Par ailleurs, dans un contexte de saine expression sexuelle où l'enfant va à la découverte de ses perceptions, il est de mise de lui confirmer, par le langage, qu'il a vu juste.

Françoise Dolto croyait que l'éducation sexuelle est pour beaucoup de parents et d'éducateurs une sorte de mission impossible justement parce qu'ils parlent aux enfants avec des mots vagues et ambigus. Et les enfants savent très bien distinguer les sensations génitales de celles du système digestif. Il faut mettre des mots là-dessus, les mots appropriés ! De même pour l'attirance qu'ils peuvent res-

42. Citation de mémoire.

sentir pour quelqu'un. Leur dire qu'elle est normale, à condition que ce soit hors de la famille et pour des enfants de leur âge.

Le mot amour

Si chère que soit pour vous cette valeur, il convient de ne pas utiliser à toutes les sauces le mot amour. J'ai récemment assisté à une représentation de la pièce *L'éveil du printemps*[43], écrite il y a plus d'un siècle. Une adolescente s'est toujours laissé dire que pour faire un bébé, il fallait aimer très fort. Aussi réplique-t-elle fermement à sa mère, lorsque celle-ci constate que sa fille est enceinte: « Mais maman, c'est impossible ! Je ne peux pas attendre un bébé, ce n'était qu'un jeu et je ne l'aimais pas. Il n'y a que toi que j'aime, maman. »

Le contenu de cette pièce est toujours brûlant d'actualité. Certains parents expliquent à leurs enfants la grossesse et la naissance en les liant intrinsèquement à l'amour. Certes, il est bien de confirmer à l'enfant que « parce qu'on s'aimait, on l'a désiré », ou que « parce qu'on s'aimait, on était attirés l'un par l'autre », si telle est la réalité. Mais il ne faudrait pas insinuer que la sexualité ne peut s'exprimer hors de l'amour.

Quand nous disons à un enfant que « pour faire un bébé, il faut s'aimer beaucoup », nous mentons. Combien de filles se retrouvent enceintes de garçons qu'elles n'ont pas aimés ! Combien d'hommes et de femmes ont des enfants d'ex-partenaires qu'ils n'aiment plus ! Aujourd'hui, les adolescents savent très bien, intellectuellement, qu'un rapport sexuel sans amour peut mener à une grossesse. Émotivement, ils se comportent comme s'ils n'en savaient rien. Notre façon d'aborder la sexualité aurait-elle quelque chose à voir là-dedans ?

De surcroît, si nous inculquons à l'enfant l'idée que tout rapprochement sexuel est une marque d'amour, comment pourra-t-il reconnaître l'abus et l'exploitation et s'en défendre s'il est sollicité par une personne aimée ? Quelle interprétation fera-t-il de la violence sexuelle ? De la pornographie ? Oui, l'amour conjugué à la sexualité est ce que nous souhaitons tous. Mais l'un ou l'autre peut s'exprimer séparément, tous les parents savent cela, et plusieurs le vivent. Pourquoi le taire aux enfants et aux adolescents ? Ils le découvriront bien tôt ou tard, de toute façon, et avec moins

43. Wedekind, F., *L'éveil du printemps, tragédie enfantine*, Paris, Gallimard, (1891) 1974.

d'angoisse si, auparavant, des mots ont été mis sur ce qu'ils expérimentent. La sexualité vécue dans le respect est une chose possible dont il faudra bien parler un jour.

Parler d'amour, c'est d'abord se « brancher » sur les besoins affectifs des jeunes. C'est aussi les aider à clarifier leurs attentes, à départager leurs sentiments, leurs émotions, leurs désirs. C'est leur permettre de reconnaître que la recherche d'amour s'inscrit parfois dans des comportements de plaisir, de partage, de tendresse, de découvertes...

Des expériences sans amour avec un grand A, direz-vous ? Oui. Mais quand elles sont choisies, comprises et bien vécues, elles sont riches d'amour à petits a : agréables, accueillantes, amicales, affectueuses, aimables ...

LA SACRO-SAINTE COMMUNICATION

« Il faut parler. » « Il faut communiquer. » « Il faut dialoguer. » La communication a été sacralisée et galvaudée. Le dialogue n'est pas une assurance contre les divergences, contre les bagarres ou contre les ruptures. Il y a parler et parler. Il y a parler pour parler et il y a parler et *se parler.*

Les paroles vides sont inutiles : on se cache derrière les mots. Osons-nous parler à nos enfants de ce qui nous touche ? Pourquoi attendre que rien n'aille plus pour essayer de dire ce qui blesse ?

Communiquer, cela n'est pas tout approuver, tout dévoiler, tout accepter. Si on approuve tout de suite, on met fin immédiatement à la communication.

La communication, c'est un état de disponibilité, une disposition du cœur qui rend capable de saisir une occasion de rapprochement.

Attendre que l'adolescent vienne nous dire : « Aide-moi, je ne sais plus où j'en suis » est utopique. Un souvenir personnel...

Ma fille, alors âgée de 15 ans, était dans un état lamentable. Plus d'appétit, plus de rires qui déboulent, même plus de sourires, plus d'intérêt pour les études, réfugiée dans le sommeil, elle habituellement si dynamique...

Aussi démunie que n'importe quel parent, je la regardais aller. Puis, un après-midi où nous étions seules et qu'elle s'était cloîtrée dans sa chambre, je me suis décidée à l'y rejoindre. Si je ne vais pas la secourir, qui le fera ? m'étais-je dit.

Ne sachant absolument pas comment l'aborder (les techniques fichent le camp quand la charge affective est trop grande), j'ai laissé parler mon cœur.

« Écoute, je ne sais pas ce qui t'arrive ; je sens que tu ne veux pas ou que tu ne peux pas m'en parler. Te voir ainsi me bouleverse plus que tout ce que tu pourrais me dire. Si tu penses que quelqu'un d'autre pourrait t'aider, je peux t'aider à aller chercher ce support. Je refuse de te laisser seule là-dedans… »

J'étais sincère et si impuissante. Je ne tenais plus à connaître les raisons de son désarroi. Je tenais à la secourir pour qu'elle s'en sorte.

Elle a écouté mon monologue et je suis restée près d'elle, silencieuse, après qu'elle m'y eut invitée.

Après un long silence, elle a balbutié à travers ses sanglots : « Je ne suis pas capable de te le dire, mais je veux que tu essayes de deviner… »

Elle venait d'ouvrir toute grande la porte que j'avais entrebâillée. Dans des situations de ce genre, il est plus aisé de faire la sourde oreille aux cris étouffés de nos adolescents. Peur de savoir, peur de dramatiser, peur d'être impuissant. Mais que deviendra l'adolescent si les personnes les plus importantes pour lui ne lui tendent pas la main ?

Mieux vaut risquer la rencontre, le conflit possible et la dramatisation plutôt que de prolonger le désert relationnel.

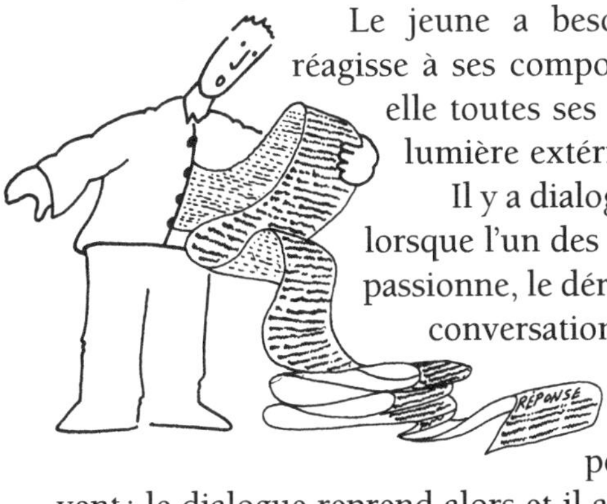

Le jeune a besoin de repères, besoin qu'on réagisse à ses comportements. Il a en lui, elle a en elle toutes ses réponses. Il lui faut un filet de lumière extérieure pour les apercevoir.

Il y a dialogue entre un parent et un enfant lorsque l'un des deux parle à l'autre de ce qui le passionne, le dérange, le touche ou l'inquiète. La conversation se poursuit avec des silences, des questions, de l'intérêt. Pas de réponses obligatoires. Elles peuvent venir les jours qui suivent ; le dialogue reprend alors et il a avancé, comme vous.

Communiquer, ce n'est pas toujours parler. Certains silences mentent, fuient et éloignent. D'autres sourient, apaisent et rapprochent.

L'*ADOLANGUE*: PETIT LEXIQUE FIN DE SIÈCLE[44]

Il est probable que le contenu de ce sous-chapitre sera déjà *out* lorsque vous le lirez ou même dans quelques semaines lorsqu'il ira sous presse. Les ados, version 1999, sont des « zappeurs » émérites, ballottés par les changements, les nouveautés, les modes et les inventions terminologiques sur lesquelles ils surfent. Leurs nombreux sous-groupes et leur vocabulaire sont si fascinants que je n'ai pas résisté à vous faire ce clin d'œil...

Des styles et du vocabulaire...

Alternatif: un jeune qui combine les genres et les modes délibérément; se distingue du « rejet » qui, lui, mêle tous les styles involontairement, le pauvre...

Babe: « beau bébé », un pétard de mâle. Équivalent masculin de « maxi ».

BS: se prononce « béesse »; avare, grippe-sous, « cheapo ». Il vous traite de béesse si vous lui refusez la fringue de 400 dollars sans laquelle sa vie n'est plus rap. Certains utilisent la litote « perso » (personnel) pour qualifier le narcissisme des parents.

Cash: l'argent, le fric, le foin, l'oseille, les bidous, ils ne connaissent pas. Pour eux, c'est simple, il n'y a que le *cash*.

Cellule: quelqu'un de mentalement dérangé. « Ce prof est top cellule ! »

Décalqué: nouvelle appellation pour « toasté » ou « gelé » (sous l'effet de substances...). Si elle vous traite de « décalqué », demandez-vous de quoi vous avez l'air !

Fébrile: c'est un vieux de 30 ans et plus. « Saigne pas du nez, vieux fébrile ! » ont-ils envie de hurler à tout adulte en position d'autorité.

Fresh: il flotte dans sa culotte ou son bermuda hippopotamesque (*baggies*, *fat pants* ou *Yo*), marche sur les lacets de ses Nike ou Adidas et s'interdit de « zipper » sa veste. Sa valeur esthétique: le look sous-alimenté dans des fripes de lutteur sumo.

Fru: spasme de « frustré ». Un adulte qui élève le ton ne peut être qu'un fru.

44. Avec l'accord de l'auteur, je reproduis presque intégralement ce lexique en l'élargissant. (André Désiront, « Au pays des ados », *Châtelaine*, juillet 1997.)

Full: passe-partout pour « totalement », « parfaitement », « absolument » et pour 100 000 adverbes décrivant une sorte d'entièreté. « T'es *full correct* », « C'était *full cool* », « Elle est *full* fru ». Souvent suivi du mot « plate » (ennuyeux). « C'est *full* plate » ou « Il est *full* plate », et tout est dit: une soirée en famille, une personne trop sérieuse, un film d'atmosphère, une matière scolaire exigeante, un copain pas assez amusant, une semaine sans amoureux, une fin de semaine sans s'éclater...

Genre: successeur du périmé « t'sé veux dire ». Lorsqu'on les invite à donner un avis ou à préciser leur pensée, on a toutes les chances du monde qu'ils rétorquent « Ben, c'est genre... »

Gino et Ginette: variété banlieusarde et scintillante du prep; cerveau minimaliste...

Gothique: mode vampire, style rejeton de Dracula, il « trippe » sur les cimetières.

Griche: une ado de mauvaise vie. Équivalent de l'argot français « pétasse ». En espérant que ce ne soit pas de vous qu'il parle si vous l'entendez marmonner: « Vieille griche ! »

Hot: le sens varie selon le ton et le contexte. Quand vous lui demandez s'il veut des pâtes et qu'il vous répond « c'est *hot* », cela signifie « oui » et non pas qu'elles sont trop chaudes... Équivaut parfois à « super » ou « extraordinaire ». Dans un autre contexte, cela veut simplement dire « acceptable ». Un jeune qui vous dit que vous êtes *hot* vous dit qu'il vous trouve « correct » et ne fait aucunement référence à votre ardeur érotique !

Man: remplace « toi », « chose » ou n'importe quel prénom féminin ou masculin. « Écoute ben, *man*! »

Mario: variante moins étincelante du Gino.

Maxi: un pétard de fille au look sexy et aguichant. Elle a moins de 18 ans.

Palpe: coke, cocaïne.

Pas rap: « cela n'a pas de rapport »; expression adolescente inventée pour nous clouer le bec et utilisée à qui mieux mieux. « Pas rap ! » signifie c'est inutile, ridicule, terminé, farfelu, sans intérêt. « T'es pas rap ! »: tu ne comprends rien, tu es totalement dans les vapes, à côté de tes pompes, gravement atteint...

Peace: fille et fils spirituels du hippie, qui « trippe » sur la musique de ses parents ou de ses grands-parents: nippes fleuries, cailloux, coquillages et *mush* en guise de bijoux.

Perve: pervers, un homme qui lorgne les petites maxis. Le vieux perve est dans la trentaine.

Plate : à part sa musique, sa gang, ses *partys*, son *trip*, TOUT est plate : mortellement ennuyeux et soporifique

Prep : un pimpant ; de l'anglais *preppie*. Ne lui demandez pas son signe : c'est le signe de $. Il ne porte que des vêtements griffés, n'importe lesquels pourvu qu'ils ruinent ses parents. Outre sa dépendance au *cash*, il se montre sexolique et alcoolique...

Rapper : l'une des sous-catégories du *fresh* qui donne dans le rap ; il peut s'habiller prep en choisissant une taille d'homme éléphant.

Raver : de l'anglais *to rave :* délirer ; ses fans participent à des soirées rave dont ils émergent couverts d'ecchymoses et carburent à l'ecstasy (sorte de mort-aux-mouches tsé-tsé).

Rejet : ostracisme suprême ; peut désigner autant le « bolé » premier de classe que le « vedge »... végétatif. Toutes les sous-cultures adolescentes le méprisent et exècrent son look vestimentaire bâtard. Il est incontestablement *full* pas rap !

Saigner du nez : expression dont ils assomment quelqu'un qui s'active un peu, du moins qui s'anime un peu trop à leur goût. « Saigne pas du nez ! » remplace le démodé « Relaxe ton sexe ! »

Skater : un double greffé. Blouson raver et *fat pants* du *fresh*, greffé sur son *skate board* qui lui sert d'ourson en peluche ; il affectionne les couleurs pipi-caca et son vocabulaire est farci de termes « skateboardiens » compris par les seuls initiés.

Skin : skin head ou coco rasé, punk ou anti-punk. Un groupe qui pullule de sous-cellules dont le *hammer skin* et sa fiancée la *chersey* sont xénophobes, alors que le *sharp* et sa *rude girl* se proclament anti-racistes...

Trop : compliment suprême ou injure absolue. « T'es trop, maman ! » peut vouloir dire « Tu es fantastique » si vous venez de lui accorder un supplément de *cash*. « T'es trop, chose ! » risque de signifier « Tu es complètement nul et irrécupérable, papa ! », si vous venez de l'obliger à nettoyer le garage.

Vieux sec : l'opposé du vieux *perve*, homme dans la trentaine qui ne lorgne nullement les petites maxis parce que son sperme s'est tari...

Wanabe : contorsion de l'anglais *I want to be*. Jeunot rêvant d'être intronisé dans une famille des *fresh*. Peut être temporairement et malencontreusement confondu avec le rejet. Le *wanabe* fait son noviciat alors que le rejet est condamné à perpette.

Yo : contraction de l'anglais *Hey you !*; style vestimentaire de plusieurs branches des *fresh*.

C'est au prix de constants efforts que l'adolescent parvient à se singulariser, à se distinguer des adultes. Il entretient sa différence, y tient mordicus. S'il est intéressant, pour notre culture personnelle, de décoder leur mode et leur langage, il ne faut surtout pas tenter de se les approprier. Ils seraient inquiets de vous voir imiter leurs dialectes, leurs modes et leurs cultures et vous jugeraient « pas rap dans le dec » (pas de rapport dans le décor). Le jeune a besoin d'un parent, un vrai. Comment pourrait-il se démarquer d'un parent qui fait l'ado ? A-t-on déjà vu un ado qui joue au parent ?

J'ai entretenu ces dernières années une relation privilégiée d'aidante-aidé avec des jeunes en difficultés sans jamais jouer la « pseudo-jeune-complice-amie ». Mieux les comprendre pour mieux les rejoindre sur leur terrain tout en restant soi-même : un adulte qui a ses codes, son langage, ses valeurs, sa solidité et ses incertitudes. Nulle communication n'est possible sans l'acceptation, le respect et la rencontre des différences. Cela, au fond d'eux-mêmes, les adolescents le sentent bien. Votre différence, votre statut d'adulte et d'autorité les embêtent et ils vous le font sentir. Mais ce monde apparent qui vous sépare d'eux les rassure aussi et cet aspect, ils le camouflent bien. Pour l'instant. Patience...

COMMUNICATION SUR LA CONTRACEPTION

Au Québec, tous les jeunes n'utilisent pas de moyen de contraception de manière régulière. Résultat : bon an mal an, quelque 8000 adolescentes deviennent enceintes et plus de la moitié d'entre elles ont moins de 17 ans. Pourquoi donc ces filles bien informées des moyens de contraception se retrouvent-elles avec un bébé potentiel à bord ? Ce ne sont pas les moyens qui sont en cause mais la faible motivation des jeunes à les utiliser.

Je faisais l'amour si peu souvent... Je me disais qu'il n'y avait pas grands risques...

Il me disait qu'il n'y avait pas de danger, qu'il éjaculerait à l'extérieur...

Au fond, je pense que je ne détestais pas l'idée d'avoir un petit bébé...

J'étais certain qu'elle prenait la pilule.

On avait un seul condom et il s'est déchiré...

Environ 50 % d'entre elles auront recours à une IVG (interruption volontaire de grossesse), et ce sont les plus jeunes qui opteront davantage pour cette solution[45]. Les autres prendront un raccourci entre l'adolescence et la vie adulte en choisissant de mener leur grossesse à terme. À peine sorties de l'enfance, elles devront assumer les responsabilités physiques, affectives, financières et psychologiques d'un enfant.

Les parents peuvent-ils contribuer à prévenir la déchirante alternative entre l'avortement et l'accouchement ? OUI. Ont-ils un rôle à jouer dans la décision responsable des jeunes de recourir à la contraception ? OUI. Comment ? En les informant au moment le plus propice, c'est-à-dire à l'époque de la puberté alors que ces questions sont moins empreintes d'émotivité. En se rafraîchissant la mémoire avec eux quand on suppose qu'ils ont une vie sexuelle active. En rendant réel l'échange sur les différents moyens de contraception. En les aidant à avoir une vie sexuelle plus harmonieuse. Et surtout, en concrétisant l'accessibilité au condom qui, sans être idéal, constitue un bon moyen de contraception et de protection contre les maladies, s'il est bien utilisé. Lorsqu'il leur reste une demi-heure pour leurs ébats érotiques avant que vous reveniez du travail, ils n'ont pas le temps de courir à la pharmacie du coin pour se procurer des condoms. Et les chances qu'ils s'abstiennent sont minces. Mais si la boîte est là, à la portée de la main, ils s'en serviront. Rappelez-vous-en !

Devant une grossesse accidentelle, j'estime, malgré tout, que c'est à l'adolescente, soutenue et aidée, qu'il appartient de décider de poursuivre ou d'interrompre le processus. Obliger une fille ou une femme à subir un avortement ou à assumer une grossesse non voulue peut entraîner de graves conséquences. Personne n'est pour l'avortement et contre la vie. Pour ma part, je suis pour la vie : la vie et l'intégrité de la femme d'abord. Toute fille ou femme devrait pouvoir dire un vrai oui ou un vrai non à une grossesse lorsque la contraception a échoué. Ce choix lui appartient et devrait lui être accessible. Un avortement précoce ne comporte aucun risque alors qu'une grossesse menée à terme implique de réels dangers pour la jeune adolescente.

Par ailleurs, les filles qui commencent à prendre la pilule ont souvent des inquiétudes à partager : premier examen gynécologique,

45. Robert, J., ouvr. cité.

effets secondaires (gonflement des seins, nausées, prise de poids, etc.). Peut être ne détesteraient-elles pas en bavarder avec leurs mères qui ont l'expérience de la contraception et constater ensemble qu'il n'y a pas de méthode idéale de contraception, mais qu'il existe une solution plus adéquate, selon l'âge, la présence ou non d'un partenaire régulier et exclusif, le type et la fréquence des activités sexuelles...

Et puis, cela crée une brèche sur d'autres conversations plus larges. S'ouvrir au dialogue plutôt que de fermer les yeux. Mélanie m'écrit :

Je sors avec Jean-François depuis trois mois et j'ai commencé à prendre la pilule. J'ai rien dit à ma mère, encore moins à mon père.

Je suis sûre qu'ils savent qu'on couche ensemble ; ils font semblant de ne rien voir. J'aimerais en parler avec ma mère. Pas de tout mais de certaines petites choses que je vis et qui me tracassent.

Depuis quelque temps, je laisse traîner ma roulette de pilules... C'est certain qu'elle l'a vue, mais elle ne m'en a pas soufflé mot. Elle ne veut rien savoir. Dans ton photoroman, tu montres un parent qui a mis des condoms au frigo pour son fils. Ça n'existe pas dans la vraie vie. En tout cas, pas dans la mienne. Tu vas me trouver dure, mais je pense que les parents sont hypocrites.

Je suis en train de te raconter ma vie, alors que je voulais juste te dire [...].

Hélas ! cette lettre est représentative des sentiments qu'éprouvent plusieurs jeunes devant leurs parents. Nombreux sont ceux qui décodent le silence ou le malaise des parents comme de la duplicité. En tant que parent, cette interprétation des jeunes m'atteint vivement. Et si je peux, à l'occasion, leur proposer une lecture plus positive des attitudes ou du mutisme de leurs géniteurs, il m'est impossible de me substituer à eux. Seuls ces derniers ont le pouvoir de situer la sexualité, de façon significative aux yeux de leurs jeunes, dans le contexte particulier de la famille et de leur dévoiler le sens et le pourquoi des conduites parentales.

Si toute fille sexuellement active a un choix personnel à faire quant à la contraception, il en va de même pour le garçon. Tout garçon capable de féconder a une responsabilité à assumer. Le plaisir que l'on désire partager s'assume à deux.

Sentez-vous libre de dire à votre fils que sa copine l'aimerait bien plus s'il insistait autant pour assumer la contraception que pour proposer le rapport sexuel... Qu'en plus, le condom lui offre l'avantage appréciable de ralentir son rythme... Bref, souligner les aspects intéressants du condom plutôt que d'insister toujours sur la prévention des maladies. J'ai la certitude qu'on peut décupler les chances de prévenir les MTS en mettant l'accent sur les BTS (bonheurs transmissibles sexuellement).

COMMUNICATION SUR LES MTS ET LE SIDA

Comment réagissent vos adolescents devant le phénomène du sida ?

- C'est pas pour nous.
- Je sais tout cela.
- Faut bien mourir de quelque chose.
- Je suis fidèle.

Ils refusent d'envisager que leur partenaire puisse aller voir ailleurs. Ils ont oublié qu'ils ont été fidèles à quatre partenaires différents au cours de la dernière année.

Entre la dramatisation et la banalisation

En parler est nécessaire. Comment le faire sereinement ? En mettant l'accent sur la joie et le bonheur de se protéger et de prolonger la vie. Avec un certain humour, sans banaliser la question. L'humour a quelque chose de libérateur ; pour atteindre les jeunes, les campagnes de prévention devront de plus en plus miser sur lui.

J'ai vu quelque part une affiche illustrant un condom et qui disait : « Le condom est élastique, il étire la vie. » Génial non ? Et séduisant.

Aux yeux des jeunes, cette publicité eût été plus attrayante et engageante si on avait écrit : « Le condom est élastique : il étire le plaisir ! » Pour être efficace, l'idée de prévention doit rendre affriolant le désir de se protéger plutôt que d'avoir à se soigner. Il est urgent de débarrasser le condom des mythes et des tabous qui persistent à en décourager l'usage. À l'instar de Guy de Maupassant (1850-1893), trop nombreux sont ceux qui continuent de considérer le préservatif masculin comme un « gâcheur de plaisir ». Le condom ne doit plus être perçu et présenté comme une entrave, mais comme une solution, une précaution de la vie quotidienne au même titre que le casque protecteur pour faire de la moto et la ceinture à boucler en automobile.

Vous trouvez indécent l'humour entourant le sida ou le condom ? Entre vous et moi, avons-nous le choix ? Nous devons explorer toutes les avenues susceptibles de donner à nos jeunes le goût de se responsabiliser. Dramatiser la situation ne peut que l'envenimer. Rien n'est à négliger pour atteindre et toucher les populations les plus à risque : nos jeunes.

Devant le sida, nous sommes un peu comme des pompiers. Impuissants à éteindre l'incendie. Tout juste capables de freiner sa propagation. On peut toujours prier pour que le virus pyromane, encore au large, soit neutralisé par les chefs pompiers. Par delà les oraisons, l'unique moyen dont nous disposons pour stopper, ou du moins pour ralentir la progression du fléau, c'est l'information et l'éducation.

Et il y a toutes les autres MTS reléguées dans l'ombre depuis l'arrivée du sida. Au Québec, l'infection à condylomes est la MTS la plus répandue. La chlamydia, qui peut longtemps passer inaperçue, risque de mener à la stérilité. Entre 1990 et 1994, on a signalé 12 000 nouveaux cas chaque année. La gonorrhée frappe annuellement environ 1000 nouvelles victimes alors que l'herpès génital en atteint 10 000 autres[46]. On peut raisonnablement croire que le nombre réel de personnes atteintes est largement supérieur puisque plusieurs cas échapperaient au programme québécois de surveillance des MTS.

La cohérence

Autant de tristes et de bonnes raisons pour se décider une fois pour toutes à se jeter dans l'eau d'une éducation sexuelle limpide. J'ai le sentiment qu'on a, jusqu'à ce jour, affecté de s'ouvrir à la sexualité : une sorte d'ouverture un peu ostentatoire, une attitude ambivalente qui dit oui et non en même temps, et cela tant chez les intervenants que chez les parents. Je ne blâme pas. Je constate une situation qui, somme toute, était peut-être inévitable en raison de notre bagage éducatif.

46. Chiffres tirés de la brochure *Sexualité, MTS et sida*, ouvr. cité.

Le moment commande l'unification personnelle et l'intervention explicite : des énoncés clairs et précis, des gestes nets et positifs, des attitudes sans équivoque et non évasives.

- Prendre ouvertement position devant vos enfants sur les problématiques sexuelles.
- Amorcer franchement le dialogue le plus tôt possible.
- Recevoir le message de votre fille qui laisse traîner ses pilules comme une « bouteille à la mère », moins pour vous provoquer que pour susciter une réaction et une rencontre avec vous.
- Répondre sans détour aux comportements et aux invitations déguisées que votre adolescent vous adresse.
- Déposer une boîte de condoms à leur portée quand vous quittez la maison pour le week-end ou pour quelques heures et que vous devinez qu'ils pourraient y faire autre chose que réviser leur algèbre ; ce geste ne constitue pas une « incitation à l'indécence », mais bel et bien l'expression de votre cohérence. La plupart des jeunes, faute d'argent, achètent les condoms à l'unité. Il est extrêmement fréquent que, dans l'excitation du moment, ils le brisent en le déroulant. Entre « Écoute, *man,* on va remettre ça à la semaine prochaine » et « Advienne que pourra ! », que croyez-vous qu'ils vont décider ?
- Aborder les sujets de front plutôt que de les contourner...

Une éducation sexuelle affectée et un simulacre d'ouverture ne peuvent qu'inciter nos adolescents à une responsabilité sexuelle de pacotille, à des comportements sexuels risqués.

CHAPITRE 11

Situations particulières

LA PREMIÈRE FOIS

À l'adolescence, les corps sont en émoi. Les désirs, les sensations troublantes, l'excitation et le plaisir font chavirer la tête et le cœur. L'envie de partager ces émotions et de goûter à l'intimité sexuelle se fait de plus en plus pressante et, parfois, de plus en plus oppressante.

Les jeunes sont vivement et hâtivement sollicités à adopter une sexualité active: le cinéma, les vidéoclips et les romans montrent le rapprochement intime comme une expérience divine. On y voit de jeunes couples qui s'aiment, qui sont d'habiles amants, qui jouissent en même temps et à n'en plus finir. Sur la planète médiatique, peu ou pas de maladies, de grossesses à prévenir, de condoms à acheter puis à enfiler. Quel trompe-l'œil et quelles désillusions en perspective.

Je parie que vous vous souvenez parfaitement de votre « première fois ». Vous pourriez dire où c'était, comment ça s'est passé, comment vous vous êtes senti, avant, pendant et après... Étiez-vous prêt, étiez-vous prête à vivre ce rapprochement? Auriez-vous souhaité en parler à quelqu'un? Le premier rapport sexuel marque, positivement ou négativement. Aussi importe-t-il de le voir venir plutôt que de s'y laisser prendre.

L'anxiété est l'émotion la plus généralisée chez les jeunes à la pensée du premier rapprochement sexuel. Et puis, ils sont curieux. La plupart le font pour s'affirmer, pour conjurer l'anxiété, pour voir ce que c'est. Assaillis des deux côtés, par le « faut le faire » du milieu social et la pression de la famille pour retarder le plus possible cette échéance, ils se jettent à l'eau. « Prêt, pas prêt : j'y vais ! »

« Mais à quel âge sont-ils prêts et comment savoir qu'ils le sont ? » se demandent les parents avec inquiétude. Il n'y a pas de règle. Certains le sont à 15 ans, d'autres à 18, quelques-uns ne le sont pas encore à 30! Chose certaine, ils n'attendent pas qu'on leur délivre un permis et les chiffres[47] suivants montrent que l'époque des couventines est révolue.

- Au Québec, plus de la moitié des adolescents de 16 ans ont déjà eu un rapport coïtal.
- L'âge moyen de la première relation intime se situe vers 15 ans (14,7 à 16,4, selon les recherches).
- 1 fille sur 2 et 1 garçon sur 4 sont déçus par cette première expérience.
- 90 % des filles n'ont pas d'orgasme au début de leur vie sexuelle active.

Si votre jeune vous honore de ses confidences quant à ses projets amoureux, vous pouvez l'aider en lui proposant ce petit jeu de questions.

Questions préparatoires aux préliminaires érotiques

- Pourquoi aurai-je une relation sexuelle avec lui, avec elle ?
- Ai-je vraiment choisi ce partenaire ?
- Est-ce que j'en ai vraiment envie ?
- Sinon, pourquoi, pour qui le ferais-je ?
- Est-ce que je me sens respecté dans cette relation ?
- Qu'est-ce que je ressens pour lui, pour elle ?
- Avons-nous pensé ensemble au lieu, au moment, au moyen de prévenir une grossesse et de se protéger contre les MTS ?
- À quoi est-ce que je m'attends ?

Surtout, ne lui faites pas le coup des questions et des réponses, vous gâcheriez tout. Proposez-lui d'y répondre seul, sans l'interférence du copain ou de la copine, des amis ou des parents. À lui, à elle, de trouver ses réponses personnelles, en fonction de ses choix sexuels. Le

47. Robert, J., *La première fois... la rencontre sexuelle*, FPS, Québec, Septembre, vol. 3, nº 6, 1995.

simple fait que vous lui ayez suggéré ce questionnaire lui fait voir que vous êtes un allié qui reconnaît ses droits et sa capacité de jugement plutôt qu'un censeur. Et cela risque aussi de lui donner envie de partager avec vous, en toute liberté, ses réflexions sur le sujet...

Faire l'amour, c'est pas comme au cinéma

Beaucoup d'adolescents sont déçus de leur première relation « complète » : faire l'amour s'avère moins sensationnel dans la réalité que dans leurs rêves et leurs fantasmes.

Parfois, il aura suffi d'un peu d'alcool ou de drogue, d'un partenaire insistant à ce moment précis pour que leur échappe ce qu'ils avaient imaginé dans l'idéal... Ce désenchantement expliquerait la période d'accalmie qui suit, dans certains cas, l'exercice sexuel exploratoire. En effet, chez beaucoup de jeunes ayant eu des rapports sexuels précoces ou improvisés, on remarque la mise en veilleuse d'activités sexuelles pendant une durée indéterminée, avant le retour à une sexualité partagée.

Comment aider un adolescent à faire de sa première rencontre intime autre chose qu'une collision génitale à la fin d'un *party*?

Démystifier le nirvana pénis-vagin

Le parent ouvert et sensible peut amortir le choc en démystifiant le rapport sexuel de pénétration. D'abord, bannir de son vocabulaire l'expression « relation sexuelle complète ». L'énoncé même suppose la plénitude alors que « l'incomplète » évoque la frustration. En quoi donc les plaisirs sexuels sans pénétration seraient-ils incomplets, partiels voire insatisfaisants ? Il n'y a pas de rapport sexuel complet ou incomplet. Il y a des relations sexuelles, sensuelles et érotiques, avec ou sans pénétration. Vous pouvez l'expliquer à votre jeune.

La première fois, tu sais, ce n'est pas toujours l'extase comme au cinéma ; ça peut néanmoins être une rencontre vraie, belle et partagée.

Faire l'amour, ça s'apprend lentement...

Tu n'as pas à te sentir coupable si la gêne ou l'émotion te fait perdre tes moyens, si tu es mal à l'aise et pas très détendu. Si vous avez bien planifié le moment (et disposez de plus d'un condom !), vous aurez le loisir de recommencer...

L'orgasme n'arrive pas à la fille comme un cadeau du ciel...

Le plaisir d'être ensemble, d'avoir partagé son intimité, d'avoir appris quelque chose, c'est déjà beaucoup...

Et la première fois peut servir de leçon pour la deuxième et la deuxième pour la troisième et...

Cela me frappe toujours : la vie sexuelle des jeunes ressemble étrangement à l'éducation sexuelle qu'ils ont reçue. C'est notre devoir d'éveiller nos enfants, dès la petite enfance, à la différence des sexes, à la fierté d'être une fille ou un garçon, à une véritable liberté, humaine et sexuelle.

Lorsqu'on demanda à Françoise Dolto si une éducation sexuelle, hâtive et limpide, pourrait aider les jeunes à exercer leur liberté par rapport aux expériences sexuelles précoces, elle affirma :

> J'en suis sûre. Les enfants auraient appris, bien avant l'âge adulte, à connaître les types de compagnes et de compagnons qui correspondent à leur sensibilité. Au lieu d'attendre dans le giron familial, et avec quelle impatience, se nourrissant de fantasmes, l'âge de la prégnance des besoins sexuels, il y aurait eu toute une expérience de la réalité au cours de la croissance[48].

LA NUDITÉ

Le sujet de la nudité familiale rend perplexes bien des parents. La proximité corporelle parent-enfant est-elle souhaitable ? Bénéfique ? Dangereuse ? Les avis divergent. L'attitude à l'égard de la nudité reflète les valeurs familiales et sociales concernant la perception du corps et la sexualité. Elle témoigne aussi des contextes culturels et des époques. Les années de la révolution sexuelle se sont caractérisées par des pratiques et des phénomènes prônant le nudisme et le naturisme, la vie dans des communes multifamiliales et les massages entre membres du clan. Rappelons-nous les *nuvites* qui passaient comme des éclairs dans les lieux publics, en tenue d'Adam, pour protester contre tout et rien. L'air du temps était à la célébration du corps, tous azimuts. Vers le milieu des années soixante-dix, alors que le vent fou de la libération commençait à tourner, les opinions se cristallisaient. H. M. Wells, un éminent médecin américain, affirmait :

48. Dolto, F., ouvr. cité, p. 98.

> La nudité est positive et il est excellent de se montrer nu devant ses enfants [...]. À défaut d'observer les animaux dans la nature, observons-nous les uns les autres. S'il vous arrive d'avoir une érection devant votre fillette, vous aurez une bonne occasion de lui expliquer ce que c'est[49].

À l'opposé, Dolto voyait dans la proximité physique une incitation à l'inceste, consommé ou symbolique. Elle soutenait que la nudité du parent

> excite sexuellement le jeune enfant, le séduit et l'infériorise. [...] Les parents sont pour l'enfant plus qu'Adonis et Vénus, et ce même s'ils sont laids comme des poux et le petit avale la beauté du père ou de la mère alors qu'il devrait la rejeter[50].

Aucune recherche sérieuse n'a, à ma connaissance, permis de trancher la question quant aux bienfaits ou aux méfaits de la nudité familiale sur les enfants. Il faut tâcher de se faire une opinion et d'adopter une ligne de conduite qui s'harmonise avec ses valeurs. Faire de la nudité une religion ou la proscrire comme la source de toutes les perversités sont des attitudes aussi aberrantes l'une que l'autre. Pour l'enfant qui grandit dans un milieu excessivement prude, toute circonstance fortuite l'amenant à être témoin d'une scène de nudité peut être troublante. Par ailleurs, l'étalage intempestif de la nudité risque de banaliser l'intimité, de rendre floues les limites de la vie privée et de placer le parent dans des situations gênantes.

À mes yeux, parader nu devant ses enfants est un non-sens, à moins qu'on ne le fasse aussi familièrement devant n'importe quel proche ou ami. Je ne parle pas ici de la nudité dictée par les circonstances : lorsqu'on se croise dans la salle de bains, au saut du lit ou lorsqu'on a le bonheur de s'offrir une séance de bronzage intégral dans un lieu isolé.

C'est aux parents qu'il revient de familiariser l'enfant avec le nu, sans provocation et en ménageant sa pudeur, selon son âge et selon les situations. Si vous décidez de nager nu dans un lac limpide et cristallin,

49. Wells, H. M., ouvr. cité, p. 39.
50. Dolto, F., *L'éducation quotidienne vue par Françoise Dolto*, notes de stage, ÉDU 7710, p. 45.

grand bien vous fasse ! Fiston ne devrait jamais se sentir obligé d'en faire autant ou, s'il s'y refuse, être victime de railleries. Et si votre fillette de 10 ans enfile un immense t-shirt à manches longues par-dessus son maillot de bain, respectez sa pudeur sans l'asticoter. La phase pudique entourant la puberté exige tact, discernement et sensibilité de la part du parent. Devez-vous sacrifier votre bain de mer ou de soleil intégral pour autant ? À vous d'en juger. Pour éviter l'affrontement ouvert, il vous faudra certes vous abstenir de faire vos mots croisés nu en leur présence et surtout en présence de leurs amis.

Je suis portée à croire que la nudité occasionnelle ne comporte ni avantage ni inconvénient majeur. Elle fait partie de l'univers de la vie quotidienne et ne peut, à mon humble avis, exacerber la sexualité de l'enfant ni celle de l'adulte sain. À chaque famille de trouver son point d'équilibre en respectant la personnalité des membres qui la composent, d'instruire l'enfant de la pluralité des valeurs sociales quant à la perception de la nudité.

La nudité-calamité du début du siècle et la nudité-panacée des années de la révolution sexuelle ont fait place au juste équilibre : une certaine pudeur sans fausse pudeur.

LES TRAUMATISMES SEXUELS ET AFFECTIFS

On dit qu'il y a traumatisme quand un événement, un fait, un incident, unique ou en série, déclenche chez une personne un ensemble de perturbations qui modifient sa personnalité, sa sensibilité, ses émotions.

Les traumatismes réels ou fabulés

Le mot est souvent utilisé à tort et à travers pour signifier un bouleversement passager.

Je peux être chamboulée si j'aperçois, en sortant de chez mon épicier, un couple qui fait l'amour sur le trottoir. Je ne serai pas traumatisée pour autant (du moins faut-il me le souhaiter !), c'est-à-dire que cet événement insolite ne modifiera ni ma personnalité ni mes émotions quant à la sexualité...

Plusieurs parents se tourmentent démesurément à l'idée que leurs enfants puissent être traumatisés.

« Mon fils de quatre ans a joué quelques fois au docteur avec le petit voisin qui a six ans. Sera-t-il traumatisé ?

— Je ne le croirais pas. »

« Ma fillette de cinq ans a vu un accouchement à la télé, je pense qu'elle a été traumatisée.

— Cela m'étonnerait. Secouée, peut-être ? »

« Les enfants ont fait irruption dans notre chambre au beau milieu de nos ébats sexuels. Les avons-nous traumatisés ?

— Eux, non. Vous, peut-être… »

Il y a les traumatismes réels et les traumatismes imaginaires, ou plutôt imaginés par l'entourage. Le hic, dans ce dernier cas, c'est qu'à force de fabuler très fort, d'en rajouter, on finit par affecter vraiment l'enfant et parfois de manière durable.

Un père divorcé avait amené sa fille de 14 ans en consultation parce qu'elle avait surpris sa mère au lit avec une femme. Tous les adultes de la famille paternelle, grands-parents inclus, paniquaient.

Lorsque la thérapeute sonda l'adolescente, celle-ci lui dit sur un ton nonchalant : « Je savais déjà qu'elle préférait les femmes. C'est une façon d'être comme une autre… Un peu bizarre peut-être… Moi, ce qui m'ennuie avec ma mère, c'est qu'elle ne sait pas faire la bouffe[51] ! »

Les vrais traumatismes

L'inceste, toutes les études le démontrent, traumatise à des degrés variables ceux et celles qui en sont victimes. L'enfant attend de son géniteur qu'il soit un père. Pas un amoureux, pas un amant, pas un initiateur sexuel !

J'ai aidé une fille de 15 ans qui en paraissait à peine 12. Elle avait été victime d'inceste depuis son plus jeune âge (aussi loin qu'elle se souvienne), et la situation venait tout juste d'être dévoilée.

Les gestes incestueux avaient pris la forme de touchers génitaux et de contacts bucco-génitaux entre le père et la fille. Autour de 10 ans, sa croissance a presque complètement cessé. Elle avait si peur, avec la puberté, d'être contrainte à la pénétration vaginale qu'elle a, subconsciemment, arrêté son développement pour se dérober à cet aboutissement.

51. Je me suis librement inspirée des propos de Wells (ouvr. cité).

Elle a eu ses règles à 16 ans, un an après la rupture du silence et l'éloignement du père incestueux...

Ce type d'inceste, concernant adulte et enfant (oncle-nièce, grand-père–petit-fils ou petite-fille...), a toujours une forte incidence traumatisante selon la nature des actes commis et la durée de la situation. Le signalement déclenche un orage de perturbations familiales qui sont bien moins importantes que les séquelles indélébiles laissées sur la victime quand la situation se prolonge et est non déclarée. Lorsque le mur du silence éclate, l'édifice bourré de vices cachés s'effondre. La victime a besoin de secours ponctuel et de soutien à plus long terme de la part de personnes compétentes, pour reconquérir son estime d'elle-même et se reconstruire.

Les effets de l'inceste se font sentir jusqu'à l'âge adulte. Des femmes *survivantes* d'inceste se font parfois encore traiter 20 ans après les actes délictuels. La victime ne paraît pas toujours traumatisée dans l'immédiat ; elle peut vivre une phase de refoulement pendant laquelle elle arrive à oublier ce qui s'est passé.

Si les conséquences physiques de l'inceste sont sérieuses, ce sont les dommages psychologiques qui sont les plus graves : sentiment de culpabilité, désarroi, anxiété, peur de l'autre sexe, dépression, fuite dans la drogue, la délinquance, la prostitution et parfois dans le suicide.

Dans le même ordre d'idées, les abus sexuels commis par des adultes ou par des adolescents sur des enfants comportent le même potentiel traumatisant. Qu'ils soient accompagnés ou non de violence physique, ils constituent une agression en tant que rapport de force et de pouvoir établi avec l'enfant, et laissent chez la victime des séquelles indélébiles.

Les préjudices affectifs causés à l'enfant abusé sont de même nature que dans l'inceste : angoisse, crainte des adultes, dépression, perte de l'estime de soi, etc.

Si votre enfant ou adolescent a été victime d'un abus ou d'une agression sexuelle, vous devez faire en sorte qu'il reçoive rapidement les soins physiques, psychologiques et sexologiques dont il a besoin. Vous devez porter plainte contre l'agresseur, *qui que ce soit*.

Il va sans dire que le viol et l'agression sexuelle sont également traumatisants. Le viol n'est pas une relation sexuelle, c'est un acte sexualisé de mépris et de domination, commis contre quelqu'un. L'agresseur menace, atteint et force l'intégrité physique, morale, psychologique, affective et sexuelle de la victime. Elle est atteinte, blessée, « fracturée » dans tout son être.

C'est une totale aberration de croire que certaines filles désirent être violées. Je n'ai jamais rencontré une seule fille ou femme qui souhaite être injuriée, blessée ou menacée de mort. Les victimes de viol ne sont pas consentantes. Se soumettre pour sauver sa vie n'est pas un consentement ! De plus le désir de viol n'existe nulle part ailleurs que dans les fantasmes masculins et dans la pornographie. Mais ce cliché pornographique, du désir inavoué d'être violée, a pu être absorbé par certaines. Marlène, 18 ans, me confie :

Je ne suis pas normale. Je n'aime pas les rapports sexuels. Je ne jouis pas et en plus, j'ai des fantasmes bizarres. Ça m'excite quand je m'imagine être prise au dépourvu, obligée de céder…

Ce fantasme ne traduit pas un désir inconscient de viol ! Il exprime le souhait d'être irrésistiblement désirable. Il incarne aussi la manifestation intra-psychique d'une négation des besoins sexuels féminins, d'un refus d'assumer la responsabilité de ses désirs. Récurrent chez les filles d'aujourd'hui, le vieux mythe de la femme soumise, objet sans besoins, ne se réveillant que lorsqu'elle y est forcée, donc lorsqu'elle est blanchie du *vil* besoin de plaisir ! Un fantôme de l'éducation sexuelle passée !

Une éducation sexuelle saine reconnaît pour légitimes l'expression et la formulation sans détour des besoins et des désirs sexuels féminins.

Enfin, la violence sexuelle, au sens le plus large et le moins noble, d'un homme qui violente, injurie ou diminue sa conjointe, a une incidence traumatisante indéniable sur les enfants qui en sont témoins autant que sur la victime. Le tableau de la brutalité quotidienne stigmatise l'enfant et le conditionne à reproduire le scénario par mimétisme. Il s'identifiera au modèle parental violent-agissant ou à celui de la victime violentée.

Chaque cellule de son être, au lieu de photographier tendresse, caresses et affection, s'imprègne de la dynamique d'une communication avilissante et sauvage.

Le mal d'amour et le désespoir adolescent

Je m'en voudrais de ne pas entretenir succinctement les parents d'une triste réalité : il n'y a pas que le sida qui tue. Les maux de l'amour et de la sexualité conduisent trop de nos jeunes au désespoir. La perte d'estime de soi, la descente aux enfers des comportements destructeurs et suicidaires ne sont pas le lot exclusif de ceux et celles qui ont été victimes d'abus ou d'inceste. Le Québec détient un triste record, celui du plus haut taux de suicides chez les jeunes dans le monde. Dans ma pratique auprès des adolescents, j'ai observé que les idées suicidaires sont liées, la plupart du temps, à une incapacité de liquider une peine d'amour ou d'en guérir, ou encore au sentiment de ne pouvoir être aimé. J'ai aussi noté que l'élément déclencheur du passage à la tentative est souvent une récente expérience humiliante[52].

Gardons bien en mémoire que l'adolescent cherche à se détacher de ses parents et à suppléer l'affection parentale par ses relations amoureuses. Lorsqu'il essuie un échec ou, pire, une succession d'échecs amoureux, il se retrouve seul, se sent abandonné de tous, isolé. On ne doit jamais prendre à la légère le mal d'amour ou la peine d'amour d'un adolescent.

Outre les amours malheureuses, une étude américaine[53] montrait, il y a déjà 10 ans, que le tiers des suicides chez les jeunes était le fait de garçons et de filles incapables d'assumer leur orientation homosexuelle. Et l'on pense maintenant que cette proportion dépasse les 40 %.

Enfin, vu les vagues de suicides chez les jeunes, on ne doit jamais négliger l'influence exercée par le décès d'un ami. Selon l'échelle de stress mise au point par Holmes[54], la mort d'un proche se classe au premier rang comme vecteur de stress chez l'adolescent. L'importance qu'ils accordent à leurs pairs à cet âge, la solidarité et l'identification à leur groupe sont des facteurs qui doivent nous forcer, lors du suicide du copain ou de la perte d'un proche, à être extrêmement vigilant.

Pour bien comprendre l'adolescent et en particulier l'adolescent à la dérive, il faut reconnaître son isolement, social et psycho-affectif, isolement qui peut rendre sa détresse insurmontable. Ses relations affectives sont intenses et passagères, à une étape de sa vie où il est particulièrement vulnérable à la séparation. On note d'ailleurs parmi les causes les plus fréquentes d'intoxications aux substances médi-

---

52. Cette observation est confirmée dans *Le suicide au Canada*, mise à jour du rapport du groupe d'études sur le suicide au Canada de Santé Canada, 1994.
53. Gibson, P., « Gay Male and Lesbian Youth Suicide », *Report of Secretary's Task Force on Youth Suicide*, Washington, vol. 3, 1989.
54. Cité dans *Le suicide : comment intervenir auprès de clientèles spécifiques*, recueil de textes, Semaine provinciale de prévention du suicide, Québec, 1997.

camenteuses *(overdoses)*, les ruptures amoureuses et les conflits avec un membre de la famille. L'adolescent croit qu'aucune personne n'est prête à comprendre ses problèmes ou capable de le faire. La seule façon de lui venir en aide est de briser son isolement en lui tendant la main, en reconnaissant sa souffrance, en l'écoutant, en l'aidant à obtenir tout le secours dont il a besoin.

Les faits sexuels non traumatisants

Les jeux sexuels entre enfants ou entre adolescents, les épisodes passagers de curiosité sexuelle entre frères et sœurs d'âge rapproché, la vue d'une scène érotique, la chaste nudité des parents ne sont pas, dans leur essence, des incidents potentiellement traumatisants. Il est évident qu'à la limite, l'événement le plus futile peut avoir un écho traumatisant... Le parent doit faire la part des choses et ne pas faire de drame avec les manifestations d'une innocente curiosité.

Une femme d'une quarantaine d'années m'a confié qu'à sept ans, elle avait été traitée par un psychiatre.

Sa mère l'avait surprise dans le petit bois « en train de se tripoter » avec son frère de neuf ans. Le garçon fut exempté de la thérapie parce que « pour un garçon, c'est normal ».

La dame me confia avoir effectivement été traumatisée. Par la réaction de sa mère et par la thérapie à laquelle elle ne comprenait rien. De vous à moi, ne pensez-vous pas que c'est la mère qui aurait eu besoin de consulter un spécialiste ?

Nous nous sommes demandé, au chapitre sur l'enfance, comment expliquer et rassurer l'enfant qui a été témoin, oculaire ou auditif, de rapports sexuels adultes. Que les enfants voient ou entendent leurs parents faire l'amour est le « traumatisme » qui hante le plus l'esprit des parents. Qu'en est-il ?

Tout petit, l'enfant qui surprend la scène conjugale pensera généralement que vous vous battez. Alors, imaginez que si vous hurlez : « Sors d'ici tout de suite ! », vous le confirmerez dans son impression de se trouver devant un champ de bataille. S'il s'agit de jeunes enfants, rassurez-les sur l'acte sexuel en évoquant le jeu.

« On ne se bat pas, ma chérie. On a l'air un peu fou comme ça mais on s'amuse.

— Ah bon... Je trouvais que tu n'avais pas l'air de vouloir gagner très fort, maman... » risque-t-elle de marmonner en retournant nonchalamment se coucher.

Tous les enfants se chamaillent pour jouer, pour le plaisir. Ils comprendront parfaitement que, dans votre corps à corps, vous en fassiez autant. Chez les moins de six ans, ces explications suffisent. Ne vous empêtrez pas dans de longs discours: « Voilà, papa et maman font l'amour. Tu vois, quand un homme et une femme, et patati et patata... ». Vous les intrigueriez davantage. À neuf ans, si vous leur avez préalablement répondu dans ce sens, ils ne vous demanderont probablement pas ce que vous faites s'ils vous entendent. Ils le sauront très bien et n'en ressentiront aucun trouble important.

On me demande aussi parfois s'il est traumatisant pour un enfant d'assister à un accouchement. Tout dépend. Si l'on présente un documentaire à la télé et que votre enfant tient à le voir, c'est vraisemblablement parce qu'il est prêt. S'il n'en a pas envie, pourquoi insister? Quant à la présence d'un enfant ou d'un adolescent dans la salle d'accouchement où naîtra son petit frère ou sa petite sœur, je suis perplexe. Je doute un peu que cela soit sa place. J'ai peine à comprendre le côté « démonstration », l'aspect « performant » de l'acte de donner naissance. C'est grandiose mais si intime aussi... Enfin, ce sont là mes réserves personnelles. Si l'enfant ou l'ado insiste et si toutes les personnes concernées sont à l'aise, peut-être...

Quant aux comportements d'adultes exhibitionnistes qui exposent leurs organes génitaux à la vue des petits et d'adultes pédophiles qui auraient sollicité en vain leurs faveurs sexuelles, ils ne laissent généralement pas de traces indélébiles lorsque ces faits sont isolés. Le bouleversement et la panique seront atténués si l'enfant a déjà été informé de ces réalités. Il convient de revoir avec l'enfant qui s'est trouvé en présence d'un prédateur sexuel la ligne de conduite à adopter en de telles circonstances: s'éloigner sans délai, informer un adulte en qui il a confiance. On peut leur dire aussi que, tout comme certaines personnes sont malades physiquement, d'autres sont malades dans leurs sentiments et dans leur sexualité.

Je ne saurais trop insister sur l'importance de l'attitude des parents. Dans une circonstance réellement traumatisante pour l'enfant ou l'adolescent, la réaction des proches peut grandement influencer le processus de guérison.

Il faut parler de l'incident malheureux pour l'exorciser, avec beaucoup de tact et de discernement. Je me souviens d'une adolescente de 14 ans qui avait été agressée sexuellement. Ses parents avaient cru bon d'avertir ses professeurs pour qu'ils tiennent compte de sa fragilité et de son équilibre perturbé.

Mon professeur d'éducation physique me donnait l'impression que j'étais un bibelot de porcelaine. Toujours trop pleine de sollicitude : « Tu ne te sens pas bien... Tu ne devrais pas participer à ce jeu violent, viens plutôt t'asseoir avec moi... » Je voulais courir avec les autres, me dépenser, faire comme tout le monde quoi ! J'avais l'impression que tout mon entourage s'acharnait à me convaincre que je ne serais jamais plus la même.

Voyons maintenant comment les enfants de parents divorcés peuvent ne pas être traumatisés, ne pas être perdants au point de vue de l'éducation sexuelle.

MONOPARENTALITÉ ET ÉDUCATION SEXUELLE

Le divorce n'est pas nécessairement une harpie accouchant de petits monstres.

> Dès 1959, De Lauwe a démontré que les enfants de couples séparés se portent tout aussi bien que les autres et beaucoup mieux que ceux de foyers où la vie est conflictuelle[55].

Les relations tendues entre les parents, qu'ils soient conjoints ou ex-conjoints, affectent les enfants. Quand le père et la mère continuent de se respecter, de s'occuper de leurs enfants, ceux-ci comprennent que leurs parents se sont séparés *pour* la vie et non *contre* quelqu'un et surtout, qu'ils n'ont pas divorcé d'avec eux. On ne divorce pas de ses enfants.

Certes, cela ne se passe pas toujours bien. Le travail de chaque conjoint, après la séparation, c'est d'accepter d'être soi-même heureux de nouveau sans l'autre et malgré le sentiment initial pour l'un ou pour l'autre d'être rejeté ou abandonné. C'est là que le bât blesse, car accepter d'être heureux, c'est reconnaître qu'on a pardonné, ou oublié...

55. Cité par Rager, C., *Le temps du divorce*, Paris, Casterman, 1982, p. 59.

Mettre des mots sur l'absence

Si l'une des figures parentales est manquante ou absente, il faut, encore une fois, mettre des mots sur ce vide, l'expliquer à l'enfant, lui donner des raisons. Des raisons qui n'imputent pas tous les torts à l'absent.

Rien n'est pire que le silence devant l'absence du père ou de la mère. Lorsque le divorce est expliqué à l'enfant, les traces seront constructives plutôt que désorganisatrices. L'enfant se structurera en tenant compte de ce fait. Comment s'en rendre compte ? Il en parlera naturellement au lieu de se taire.

Il convient aussi d'être attentif à combler le vide du parent absent en facilitant à l'enfant l'accès à des groupes, clubs sportifs, organismes de loisirs ou de culture qui lui permettront d'intégrer, tout au long de sa croissance, des modèles féminins et masculins. Dans un autre ordre d'idées, beaucoup d'hommes et de femmes sans conjoint s'interrogent. Un parent seul peut-il assumer sa propre sexualité ? En a-t-il le droit ? Comment vivre sa sexualité et son affectivité le plus harmonieusement possible sans déranger ses enfants ? Trop de femmes chefs de famille se sont littéralement oubliées, coupées de leurs besoins parce que la société leur murmurait subtilement que la responsabilité morale des enfants incombe à la mère et que le fait d'avoir une vie sexuelle serait immoral ! L'assimilation de ce message a pu engendrer un déchirement néfaste pour toutes les personnes en cause. Le fait de ne plus vivre en couple ne doit pas déloger la femme ou l'homme qui vit dans le parent. C'est déjà bien assez pénible de se détacher d'un être qu'on a aimé sans se séparer en plus d'une partie de soi-même !

Bien des femmes seules feignent de n'être plus que des mères et dissimulent presque honteusement leurs besoins légitimes de femmes. Combien se cachent littéralement pour vivre leur affectivité et leur sexualité, au compte-gouttes, comme des coupables !

Un renoncement profondément consenti au profit d'une valeur jugée plus importante est une chose ; un renoncement d'apparence relève davantage de l'abdication, de l'aliénation de son droit de vivre. Et cela ne sert ni la femme ni ses enfants.

Il va de soi qu'un adolescent de 12 ou 13 ans qui aurait toujours vécu seul avec sa mère, apparemment asexuée et asexuelle, serait désarçonné le jour où celle-ci prendrait un amant.

- Qu'est-ce que tu fais avec lui ?
- Tu m'abandonnes !
- Il est dégoûtant !
- Je ne te suffis donc pas !

L'enfant qui n'a jamais vu sa mère comme une femme et comme une amoureuse n'y comprendrait rien. Il n'aurait jamais vécu la situation triangulaire, jamais eu l'occasion d'être jaloux, bref, il n'aurait jamais été placé devant une situation « normale ».

À moins d'avoir fait vœu de chasteté, un conjoint séparé, homme ou femme, avec ou sans enfant, doit être persuadé de son droit à une vie sexuelle et affective. Autrement, la frustration découlant de la répression de ses besoins sexuels rejaillirait sur ses enfants : le parent serait trop rigide ou trop indulgent. Et puis, n'est-il pas tentant, quand on est sexuellement et affectivement carencé, de penser : « Si je suis privé, vous le serez aussi ! »

Sortir ses amours du placard

En outre, si vous élevez vos enfants dans l'idée que la sexualité est bonne et belle et qu'ils évoluent dans l'ombre glaciale de votre vide sexo-affectif, que vont-ils y comprendre ? C'est comme conseiller à un enfant de manger des légumes verts sans jamais en manger soi-même.

Attention : je ne prétends pas qu'il faille afficher chacune de vos conquêtes d'un soir à vos enfants, le cas échéant. Je soutiens qu'il est légitime de ne pas ranger vos amours dans le placard.

Et si votre enfant vous demande : « Pourquoi Claude dort-il ici si souvent ? », vous n'aurez qu'à répondre : « C'est comme pour toi. Tes amis restent parfois coucher à la maison, non ? » Le jeune enfant demandera rarement si vous faites l'amour. La fillette poursuit :

« Oui, mais... mes amis, moi, ce sont des filles !

— Eh bien, moi, c'est un garçon, et nous avons décidé de mieux nous connaître. »

Le plus vieux voudra clarifier davantage la situation. Ne le laissez pas tourner autour du pot.

« Tu t'es bien amusée avec Louis à la campagne... ?

— Oui, nous avons passé une fin de semaine formidable.

— Et tu as eu du plaisir ?

— Oui. »

Silence interrogatif.

« Si tu veux savoir si nous avons fait l'amour, eh bien la réponse est oui. Nous sommes en train de bâtir une relation dont la sexualité fait partie. »

Si vous êtes un père seul avec une adolescente, les choses peuvent se compliquer un peu. Les filles se confient peu à leur père et celui-ci n'a évidemment que son expérience masculine à partager. Il lui est moins naturel de parler de menstruation, de sentiments et d'émotions que ne le fait spontanément une mère avec sa fille.

> Comment un père discuterait-il de sensations féminines ? Dans notre société, et aussi au courant de tout que nous aimions croire [*sic*], on peut dire qu'il a de la chance s'il sait exactement où se trouve le clitoris[56].

Vous croyez que je viens de faire dire à un homme ce que je pense tout bas ? C'est partiellement et tendrement vrai... Trêve d'ironie, le père, surtout s'il est monoparental, a tendance à surprotéger sa fille parce qu'il ne sait pas comment la rejoindre. Aidez-vous de livres et de substituts féminins adéquats (sœur, amie, tante...) en qui votre fille a confiance.

Sans que ce soit tellement plus facile du côté de la mère avec son adolescent, disons qu'elle est généralement un peu plus renseignée sur la sexualité masculine, la tradition l'ayant désignée pour la prise en charge de l'éducation sexuelle des enfants. Toutefois, il est bien des sujets à propos desquels elle se sentira complètement démunie devant son fils adolescent. La recherche d'un substitut masculin vaut ici aussi.

Un parent seul s'expose, plus encore qu'un couple, à des conflits avec la famille à propos de l'éducation des enfants. Tout le monde se mêle plus hardiment des affaires d'une famille monoparentale. Une seule chose à faire : décidez fermement de ce qui est bon pour vous et pour vos enfants ; expliquez, si vous le désirez, cette attitude à vos proches. Si on ne vous écoute pas, si on vous contredit et que vous êtes convaincu de faire pour le mieux, continuez votre chemin.

C'est votre vie, vos enfants, votre problème. Faites ce qui vous semble juste et bon. C'est la position la plus saine que vous puissiez adopter.

---

56. Wells, H. M., ouvr. cité, p. 174.

CHAPITRE 12

L'air du temps en éducation sexuelle

Lors de la première édition de cet ouvrage, en 1989, le ministère de l'Éducation du Québec venait de rendre obligatoire, tant au primaire qu'au secondaire, un programme d'éducation à la sexualité. Longtemps contesté, défendu, pourfendu, remisé puis révisé avant son entrée en vigueur, il avait été finalement adopté contre vents et marées.

Faisons une digression pour rappeler les objectifs poursuivis par le beau et bon programme d'éducation sexuelle des années quatre-vingt.

L'éducation à la sexualité à l'école était axée sur des valeurs chrétiennes : amour épanouissant physiquement et spirituellement, partage et engagement dans le couple, sens des responsabilités dans l'« agir » sexuel, ouverture à la transcendance... Sur des valeurs humaines : respect et amour de son corps, quête de son identité, acceptation des rôles qui en découlent, sens du plaisir... Sur des valeurs morales et humanistes : respect des autres, des orientations sexuelles, des différences physiques, de la liberté et de l'égalité des sexes.

Au primaire, les objectifs généraux cherchaient à ce que

> l'élève valorise son corps en tant que réalité sexuée, à ce qu'il soit sensibilisé aux différentes dimensions que comporte la sexualité humaine, à ce qu'il prenne conscience de la dimension sociale de l'expression sexuelle, à ce qu'il comprenne le phénomène de la naissance et soit prévenu contre les différentes formes d'exploitation dont il peut être l'objet[57].

Au secondaire, les objectifs généraux visaient à ce que

> l'élève développe une image positive de lui-même ainsi que des attitudes éclairées en regard de sa sexualité adolescente, qu'il possède une connaissance éclairée de la relation homme-femme et des responsabilités qui l'accompagnent, qu'il développe des connaissances, des attitudes et des comportements préventifs et clarifie son projet sexuel en fonction de la société dans laquelle il vit[58].

Une intervention éducative dont la finalité portait sur le développement psychosexuel harmonieux et sur l'épanouissement responsable de l'élève. En 1989, je questionnais: « À quoi sert ce beau et bon programme d'éducation sexuelle scolaire si on ne se donne pas les moyens de le mener à terme ? » Je ne résiste pas à l'envie de demander aujourd'hui: « À quoi a servi ce programme qu'on vient de retirer du menu scolaire sans s'être donné la peine de l'évaluer, de mesurer ses faiblesses et ses forces, de comprendre, ne serait-ce qu'un tant soit peu, pourquoi il a tâtonné, quels ont été ses impacts, ses échecs ou ses succès, quel rôle a joué le messager dans la réception du message ? » Il est déplorable que le ministère n'ait pas jugé nécessaire d'en faire l'analyse de manière à se réorienter le plus clairement possible. Je m'en serais voulu de ne pas le souligner.

Après donc une décennie d'enseignement obligatoire (et improvisé) de la sexualité, ce programme vient, avec d'autres visant le développement personnel, d'être évacué. Avec le « virage du succès », les décideurs ont pris la décision politique « d'évacuer des programmes d'études tous les éléments accessoires qui y ont été graduellement ajoutés afin de conserver et de consolider les apprentissages essen-

57. Ministère de l'Éducation du Québec, programme FPS, primaire et secondaire, Québec, 1984.
58. Ministère de l'Éducation du Québec, ouvr. cité.

tiels[59]». Dans l'énoncé de politique éducative présentant la refonte du curriculum national d'éducation publié par le ministère de l'Éducation du Québec, l'éducation sexuelle n'est plus, nommément, au programme scolaire.

À la lumière des renseignements contenus dans cette publication, on peut supposer que les notions sexuelles et sexologiques pourraient être abordées dans le sous-menu « éducation à la santé » et relever du domaine des « compétences transversales ». On doit comprendre de cette notion de « transversalité » qu'elle fait appel « à l'acquisition de compétences et attitudes qui ne relèvent pas du domaine exclusif de l'enseignement des disciplines mais dont on peut tenir compte dans certaines autres matières et qui doivent être présentes dans l'ensemble des activités éducatives organisées par l'école[60] ».

On peut conclure, en simplifiant, qu'un enseignant pourrait aborder des contenus sexologiques : en histoire (mœurs sexuelles liées aux contextes culturels), en art (représentation sexuelle selon les différents courants artistiques), en enseignement religieux (valeurs privilégiées par les religions en matière de sexualité), en mathématiques (statistiques sur différentes conduites et comportements), etc. Bref, une certaine éducation sexuelle implicite pourra se faire partout, et peut-être nulle part, par l'entremise de toutes les matières et, plus spécifiquement, par le biais de l'éducation à la santé, où on apprendra aux enfants l'art de se protéger du sida, des MTS, des abus et des grossesses indésirables. En réalité, on continuera à faire, de façon plus dispersée, ce qui s'est toujours fait puisque la manière d'éduquer à la sexualité a été, depuis belle lurette, axée sur la prévention et la préservation de la santé. Si l'envie vous prenait de vérifier par vous-même ce que j'avance, faites l'exercice suivant : demandez à un enfant ce qu'est la sexualité. Presque à coup sûr, il vous parlera des abus, du sida. Posez la question à un adolescent : il s'agira pour lui de MTS, de contraception, de « plomberie ». Enfin, posez la question à un parent : il vous entretiendra de ses peurs et de ses inquiétudes. Voilà le résultat d'une éducation sexuelle manquée !

Ce « tournant » ne fait que confirmer un état de fait : l'éducation sexuelle scolaire emboîte le pas au courant social dominant et cède officiellement la place à l'éducation à la santé. La responsabilité de

59. Ministère de l'Éducation du Québec, *L'école, tout un programme*, Énoncé de politique éducative, 1997.
60. Ministère de l'Éducation du Québec, ouvr. cité.

l'école à l'égard d'une éducation sexuelle explicite, structurée, épanouissante, « englobante » et complémentaire à celle de la famille, qui ne posait aucun doute théorique il y a 10 ans, est désormais bien diluée. Plus question pour les parents de s'en remettre à l'école pour assumer plus que la stricte conservation de la santé.

VIRAGE

Cela étant dit, l'éducation sexuelle à l'école est toujours à poursuivre et à soutenir à condition : qu'elle soit axée sur un contenu qui intéresse le jeune et le concerne, plutôt que sur des préoccupations adultes ; qu'elle soit dispensée à l'aide de méthodes pédagogiques adaptées au jeune et au sujet abordé ; qu'elle soit soutenue par des intervenants souples, compétents en éducation et en sexologie, connaissant les jeunes et ayant eux-mêmes une saine vision de la sexualité[61].

Malgré tout, pour le meilleur ou pour le pire, on assiste à la substitution de l'éducation sexuelle par l'éducation à la santé : l'objet de l'intervention est passé de la sexualité à la santé sexuelle, signale aujourd'hui Louise Gaudreau[62]. Et cette tendance se manifeste dans tous les milieux (social, familial, communautaire...). Pourtant, l'éducation à la sexualité, tout comme la sexualité, sera toujours multidimensionnelle : aspects affectifs et émotifs, cognitifs, physiques, sociaux, interpersonnels, moraux, spirituels, comportementaux. Dès 1975, l'Organisation mondiale de la santé se défendait de limiter la santé sexuelle à la stricte prévention des maladies, puisqu'elle l'a définie comme étant « l'intégration des aspects somatiques, affectifs, intellectuels et sociaux de l'être sexué, réalisée selon des modalités épanouissantes qui valorisent la personnalité, la communication et l'amour ».

Comme le rapporte Gaudreau dans l'extrait suivant, cette situation est particulièrement évidente dans les interventions d'éducation sexuelle intégrées à l'éducation pour la santé qui visent la prévention du sida.

---

61. J'ai résumé la pensée de L. Gaudreau (*Informations générales sur l'éducation sexuelle*, ouvr. cité).
62. Gaudreau L., « Où va l'éducation sexuelle ? », *Revue sexologique*, vol. 5, n° 2, Iris, 1997.

Conformément à la logique étiologique (recherche de causes) prévalant dans le domaine de la santé, le travail de conception des interventions devrait s'appuyer sur un diagnostic pour identifier les déterminants d'une sexualité saine, telle qu'elle se manifeste dans les comportements sexuels jugés adéquats qui, autrement, constitueraient une voie importante de transmission du VIH et des autres MTS. Si on adopte un cadre d'éducation sexuelle plus large en le faisant déborder de la seule question de ces maladies, cela signifierait, par exemple, d'identifier les déterminants du plaisir, du désir, de la relation amoureuse, de la décision de s'engager ou non dans une relation sexuelle, des rôles et stéréotypes de rôles, des rapports hommes-femmes, etc[63].

Bien que parfois précise et efficace, l'approche santé de prévention du sida a contribué à renforcer l'image d'une sexualité réduite aux seuls rapports risqués pénétrant-pénétré : anal, coïtal et oral-génital. En orientant franchement l'éducation sexuelle sur la préservation de sa santé, on continue de renforcer l'idée d'une sexualité « mortuaire » et de la dangerosité de « l'autre »[64].

Ceux et celles qui conçoivent l'éducation sexuelle comme devant être globale, structurante et « humanisante » (élèves, intervenants en milieu scolaire ou communautaire, enseignants, sexologues-éducateurs, infirmières, travailleurs sociaux, andragogues, parents) devraient se rallier, s'exprimer et se faire entendre de toutes les instances décisionnelles, pour influencer l'air du temps et modifier le profil des interventions à venir, tant dans le milieu scolaire que dans le monde sociocommunautaire, en ce qui a trait à la santé sexuelle et à la sexualité.

---

63. Gaudreau L., « Où va l'éducation sexuelle ? », *Revue sexologique*, vol. 5, n° 2, Iris, 1997, p. 53.
64. *Ibid.*

Le mot du recommencement

La sexualité n'est pas tout, la sexualité est

Nous voici au terme de cette traversée de la région la moins explorée du continent sexuel : celle de l'affectivité.

Je ne me suis pas attardée à décrire les paysages familiers. Les informations coulent à grands flots sur les aspects anatomique, physiologique, contraceptif et préventif de la sexualité. Il y a une dizaine d'années, on souhaitait, du moins théoriquement, intégrer ces aspects factuels à un ensemble de données sexologiques plus larges et plus branchées sur l'affectivité. Aujourd'hui, on leur cède toute la place. À tort et au détriment des attentes et des revendications des enfants et des adolescents.

Mon engagement en éducation sexuelle auprès des jeunes et des moins jeunes m'a convaincue de leurs besoins. Pour aider les parents à occuper pleinement l'espace de l'éducation sexuelle qui leur est exclusivement dévolu, j'ai tenté d'illustrer et de combler un tant soit peu ce besoin affectif par des faits et des anecdotes tirés de ma vie professionnelle et de ma vie personnelle, l'une n'allant pas sans l'autre. Un regard exploratoire, j'en suis des plus conscientes, et teinté de cette émotion immanente au désir de donner lieu à une véritable rencontre parent-enfant.

Un désert à refleurir

Le désert du dialogue parent-enfant sur un sujet aussi vital est à refleurir. Si le succès scolaire et la réussite sociale sont des tremplins pour la satisfaction personnelle, l'épanouissement affectif et sexuel est la locomotive qui conduit vers la plénitude.

Parler de la pilule aux filles, dire « attention » aux garçons, les gaver d'informations sur les dangers, c'est trop et trop peu. Échanger des propos sur le plaisir de grandir, de découvrir et de se prendre en main, discuter de la sexualité, la situer dans un projet personnel qui donne un sens à la vie ne contrarie ni n'altère le respect du jardin secret de chacun.

Cette liberté d'expression prendrait naturellement place à l'adolescence si la communication se nouait dès la petite enfance, par la parole et par le geste. En dépit de cela, peurs, tabous et habitudes sont, tant que la vie nous anime, surmontables. Le dialogue tardivement instauré est préférable à l'immobilisme. Les enjeux du bout de chemin qu'il vous reste à parcourir avec votre adolescent sont immenses et cruciaux.

Accompagner votre enfant dans son devenir sexuel peut lui éviter de s'empêtrer dans des difficultés qui l'empêcheraient de se consacrer à des projets plus vastes et plus créateurs. C'est peut-être lui donner l'élan dont il a besoin pour passer du rôle de spectateur à celui d'acteur, puis d'auteur de sa propre vie.

Comment savoir si, libérés de la peur dont on les nourrit, les jeunes ne se mettraient pas à agir sur le monde plutôt que de laisser le monde agir sur eux ?

Un virage familial porteur d'espoir

La sexualité des enfants et des adolescents n'appartient ni à leurs parents, ni à leurs professeurs, ni aux spécialistes, ni aux auteurs de livres.

La sexualité des jeunes leur appartient. Tout au plus pouvons-nous les accompagner, faire équipe ensemble pour un bonheur plus grand et, qui sait, grandir avec eux. C'est tout. Et c'est beaucoup.

La démarche proposée est incertaine, mais porteuse d'espoir, de surprises, d'étonnement.

C'est le premier pas qui coûte : changer notre manière d'aborder la sexualité présuppose fatalement que l'on se change un peu soi-même.

Bibliographie

BÉGIN, Patricia, *L'exploitation sexuelle des enfants : mémoire retrouvée ou faux souvenir ?*, Bibliothèque du parlement, Ottawa, 1994.

CHAMPAGNE-GILBERT, Maurice, *La famille et l'homme à libérer du pouvoir,* Montréal, Leméac, 1980.

CENTRE NATIONAL D'AIDE À LA JEUNESSE (CNAJ), *Parents et adolescents, une relation à inventer,* Bruxelles, Éditions Prospective jeunesse, 1988.

COMITÉ SUR LES INFRACTIONS SEXUELLES AU CANADA, *Infractions sexuelles à l'égard des enfants,* Ottawa, vol. 1, 1984.

DÉSAULNIERS, Marie-Paule, « La place des valeurs en éducation sexuelle » dans *Apprentissage et socialisation,* Montréal, Conseil québécois pour l'enfance et la jeunesse (CQEJ), vol. 11, 1988.

DÉSAULNIERS, Marie-Paule, *L'éducation sexuelle, définitions,* Ottawa, Éditions Agence d'Arc, 1990.

DÉSAULNIERS, Marie-Paule, *Pédagogie de l'éducation sexuelle,* Ottawa, Éditions Agence d'Arc, 1990.

DÉSIRONT, André, « Au pays des ados », *Châtelaine,* Montréal, juillet 1997.

DOLTO, Françoise, *Tout est langage,* Paris, Éditions Vertige du Nord, 1987.

DOLTO, Françoise, « Information et éducation sexuelle », *Parents et maîtres (1973),* citée dans *L'échec scolaire,* Paris, Éditions Vertige du Nord, 1989.

DOLTO, Françoise, *L'éducation quotidienne vue par Françoise Dolto,* notes de stage-maîtrise, ÉDU 7710.

DUPRAS, André, et autres, *Jeunesse et sexualité,* Montréal, actes du colloque, Éditions Iris, 1986.

GAUDREAU, Louise, *Informations générales sur l'éducation sexuelle,* document d'accompagnement pour la formation d'intervenants, Montréal, CQEJ, 1989.

GAUDREAU, Louise, « Où va l'éducation sexuelle ? », *Revue sexologique,* Montréal, Éditions Iris, vol. 5, n° 2, 1997.

Gibran, Khalil, *Le prophète,* Paris, Casterman, (1923), 1956.
Gibson, P., « Gay Male and Lesbian Youth Suicide », *Report of Secretary's Task Force on Youth Suicide,* Washington, vol. 3, 1989.
Ministère de l'Éducation du Québec, *Programme de formation personnelle et sociale,* pour les écoles primaires et secondaires, Québec, 1984.
Ministère de l'Éducation du Québec, *L'école, tout un programme,* énoncé de politique éducative, Québec, 1997.
Ministère de la Santé nationale et du Bien-être social du Canada, *Le suicide au Canada,* mise à jour du rapport du groupe d'études sur le suicide au Canada, Ottawa, 1994.
Ministère de la Santé et des Services sociaux du Québec, *Sexualité, MTS et sida, parlons-en,* brochure à l'intention des parents, Québec, 1996.
Planned Parenthood of America, *Comment discuter de sexualité avec votre enfant,* La Presse, Montréal, 1988.
Rager, Catherine, *Le temps du divorce,* Paris, Casterman, 1982.
Robert, Jocelyne, *La première fois… la rencontre sexuelle,* fascicule de l'élève et fascicule d'enseignement, Québec, Éditions Septembre, vol. 3, n° 6, 1995.
Robert, Jocelyne, *Une question vitale, la contraception,* fascicule de l'élève et fascicule d'enseignement, Québec, Éditions Septembre, vol. 3, n° 7, 1995.
Robert, Jocelyne, *Un « gros » risque, la grossesse à l'adolescence*, fascicule de l'élève et fascicule d'enseignement, Québec, Éditions Septembre, vol. 3, n° 8, 1995.
Robert, Jocelyne, « Papa, Maman, je t'aime », *Magazine Enfants Québec*, vol. 9, n° 4, 1997.
Robert, Jocelyne, « Fille ou garçon et fier de l'être », *Magazine Enfants Québec*, vol. 11, n° 2, 1998.
Robert, Jocelyne, « Papa, ça vient d'où les bébés ? », *Magazine Enfants Québec*, vol. 11, n° 5, 1999.
Robert, Jocelyne, « Touche-moi PAS », *Magazine Enfants Québec*, vol. 11, n° 3, 1999.
Ruffo, Andrée, *Parce que je crois aux enfants,* Montréal, Éditions de l'Homme, 1988.
Samson, Jean-Marc, « Les valeurs sexuelles des jeunes », *Jeunesse et sexualité,* Montréal, Éditions Iris, 1985.
Sullerot, Évelyne, *Quels pères ? Quels fils ?*, Paris, Fayard, 1992.
Van Ussel, Jos, *Histoire de la répression sexuelle,* Paris, Laffont, 1972.

WELLS, Hal M., *Le droit de votre enfant à la sexualité,* Paris, Renaissance, 1977.
WEDEKIN, Frank, *L'éveil du printemps,* tragédie enfantine, Paris, Gallimard, (1891) 1974.

Table des matières

Cet ouvrage a été achevé d'imprimer
en novembre 1999.